Las cartas boca abajo

DE

Antonio Buero Vallejo

COLECCIÓN TEATRO Nº 191

LAS CARTAS BOCA ABAJO

OBRAS DEL MISMO AUTOR PUBLICADAS
EN ESTA COLECCION

LAS CARTAS BOCA ABAJO

Tragedia española en dos partes y cuatro cuadros, original de

ANTONIO BUERO VALLEJO

EDICIONES
ALFIL
PREMIO NACIONAL DE TEATRO

COLECCION
TEATRO

DIRECTOR
MANUEL BENITEZ SANCHEZ-CORTES

SEGUNDA EDICION

DEPOSITO LEGAL: CA. 46 -1962   N.° Registro 1976-58

alleres Gráficos ESCELICER, S. A. — Obispo Calvo y Valero, 4 — CADIZ

A Tina Gascó

Esta obra se estrenó la noche del 5 de noviembre de 1957, en el teatro Reina Victoria, de Madrid, con el siguiente

R E P A R T O

ADELA   .. ..· Pilar Muñoz.
ANITA .. ..· Tina Gascó.
JUAN .. ..· José Bódalo.
JUANITO .. ..· José Vilar.
MAURO   .. ..·.. .. .. Manuel Díaz González.

Derecha e izquierda, las del espectador.

DECORADO: Emilio Burgos.
DIRECCIÓN: Fernando Granada.

PRIMERA PARTE

CUADRO I

Un cuarto de estar, que también cumple funciones de comedor, en un viejo piso. Muebles no malos, pero heterogéneos y deslucidos; cortinas pasadas de moda. Un aire sutil de abandono, de cansada rutina y trivial desarmonía parece desprenderse de todo. El piso, de madera, no está encerado; las paredes no se repintan desde hace tiempo. Un alto zócalo de papel pintado de oscuro color de roble, con fingidas taraceas en rombo, corre a lo largo de éstas. Una gran cornisa, pintada del mismo color, las separa del techo, en el centro del cual el rosetón, también pintado, sostiene la lámpara. En la cornisa, algún desconchado deja ver la blancura del yeso de que está formada. En el primer término izquierdo, el balcón, abierto. En el ángulo de este lateral con el foro, una rinconera que oficia de bar, sobre la que vemos diversos objetos de uso: una caja de lata para la costura, un cenicero, una licorera y la guía telefónica deslizada entre ese apiñamiento. A la izquierda del foro está el teléfono de pared, y a continuación, la entrada adintelada que comunica a esta sala con el pasillo, el cual conduce por la izquierda al vestíbulo y por la derecha a otras habitaciones. Precisamente encima de esta entrada, a la cornisa le falta un trozo apreciable, desprendido y caído, sin duda, tiempo atrás. Y, si aguzamos la vista, podremos advertir en la pared del foro una de esas grietas, frecuentes en las casas viejas—y también en muchas nuevas—que sube oblicuamente desde el zócalo y de derecha a izquierda, para morir en el desper-

fecto de la moldura. El resto del foro lo ocupa un desteñido
sofá isabelino. Sobre él, y rematando el zócalo, repisa llena
de bibelots baratos y postales sin enmarcar. Más arriba, en
la pared, dos antiguas fotografías de busto que representan
a un señor y a una señora jóvenes, en viejos marcos dorados
que ocultan en parte la grieta. El ángulo que forma el foro
con el lateral derecho está cortado en chaflán por una puerta
oculta tras una cortina corrida. En el primer término derecho, la entrada a otro pasillo, con la cortina descorrida. En
el trecho restante hasta el chaflán, una vieja poltrona y,
sobre el zócalo, estantería sencilla, de un solo cuerpo, reple-
ta de libros, en rústica en su mayoría. Encima, en la pared,
un grabado antiguo en marco oval. En el centro de la escena
y hacia la izquierda, una mesa camilla con tres o cuatro
sillas alrededor, y sobre ella, el periódico del día y un
cenicero. Cae la tarde.

(Por unos momentos, la escena sola. Luego, en-
tra por la derecha ADELA. *Cuarenta años toda-*
vía arrogantes; pero sus facciones, levemente
endurecidas, hacen sospechar, acaso, más
edad. Viste ropas sencillas y caseras, aunque
de buen gusto. Nada más entrar, se dirige a
la mesa, donde deja unas prendas de ropa que
traía; va luego a la rinconera y coge la caja
de lata. Al volver con ella se detiene, miran-
do a la cortina del chaflán. Después se acerca
a ella poco a poco, sin el menor ruido y apar-
ta la cortina. La puerta, tras ella, está cerra-
da. ADELA *escucha durante un segundo y lue-*
go restituye la cortina a su posición. Va a la
mesa, se sienta a su derecha y abre la caja,
sacando de ella unas gafas, que se pone, y
luego aguja e hilo, que enhebra. Se abstrae
por un momento, mirando a la luz del balcón,
suspira y se coloca un dedal, tomando una de
las prendas para coser. Suena el teléfono. Con
un gesto de contrariedad, clava la aguja en la
ropa, se levanta y va a tomarlo.)

ADELA.—Dígame... No está en este momento. ¿De parte
de quién?... Sí, suele venir casi todos los días... No, don
Mauro no vive aquí; pero es lo mismo. ¿Quiere que le

deje algún recado?... ¿O algún teléfono, para que él llame?... Bien. Yo se lo diré... Adiós. *(Cuelga. Durante estas palabras* JUAN *aparece por la derecha del foro y la mira. Es un hombre robusto, de aire fundamentalmente honrado, cuyo cabello empieza a grisear. Unos cuarenta y cinco años, o quizá cincuenta bien llevados. Viste una bata ligera y unas zapatillas de verano.* ADELA *lo mira.)* Era para Mauro.

JUAN.—*(Entra y enciende un cigarrillo.)*—¿De qué importante asunto se trataba ahora?

ADELA.—*(Que se ha sentado y empieza a coser.)*—No me han dicho nada.

JUAN.—*(Pasea.)*—En cambio, tú te has apresurado a pedir un teléfono para que Mauro llame si quiere.

ADELA.—*(Deja de trabajar y lo mira.)*—No me lo han dado.

JUAN.—Suponte que te lo hubieran dado. Tú lo pides... y Mauro llama, claro. Una llamada más, aparte de las que él hace por su cuenta.

ADELA.—Unos céntimos más...

JUAN.—*(Se detiene.)*—De sobra sabes que no soy tacaño. Pero, vamos... Me parece que tu señor hermano no puede tener queja de nosotros.

ADELA.—Molesta lo menos que puede.

JUAN.—¡A todas horas! Y antes te desagradaba a tí tanto como a mí. *(Ella baja la cabeza y cose.)* Bueno, allá tú. El diablo que te entienda. *(Pasea fumando. Se fija en la grieta.)* Yo creo que esta grieta ha ensanchado.

ADELA.—No sé... A veces parece que sí. Otras parece igual que siempre.

JUAN.—*(La toca.)*—Puede que se deba a los cambios de tiempo. *(Sigue la grieta con los ojos y mira a la cornisa.)* ¿Ha caído algún pedacito más de la cornisa?

ADELA.—No. *(Lo mira. Empieza o sonreir.)*

JUAN.—Si saco la plaza, llamaremos a los albañiles y a los pintores. *(La mira.)* ¿Se puede saber de qué te sonríes?

ADELA.—Estás nervioso...

JUAN.—(*Grave.*)—Sí. Claro que lo estoy. (*Va a su lado
y se sienta cansadamente tras la mesa.*) ¿Y Juanito?
(*Hojea el periódico.*)

ADELA.—En su cuarto.

JUAN.—¿No sale hoy?

ADELA.—Supongo que sí. Más tarde. (*Una pausa.*)

JUAN.—Tienes que comprenderlo, Adela. Necesito toda
la calma y todo el silencio posibles para poder estudiar
con provecho. Me harías un gran favor si, por lo menos en estos días..., lograses que Mauro nos visitase
menos. (*Ella se quita las gafas y lo mira.*) Has queda-
do en ayudarme... Podría decirle que no volviese, pero prefiero rogártelo a tí. (ADELA *vuelve despacio la
cabeza hacia el chaflán.* JUAN *se levanta, fastidiado.*)
¡No mires tanto al chaflán! ¡Qué manía! (*Va al
balcón.*)

ADELA.—(*Dulce.*)—Claro que te ayudaré, en eso y en todo... Pero me apena verte así. Me pregunto si había
verdadera necesidad de que hicieras a estas alturas
semejante esfuerzo.

JUAN. (*Se vuelve*).—¡Cómo! Tienes que conformarte con
una asistenta cada dos días, con un traje al año, con
el cine del barrio, con veranear en las terrazas de los
cafés. ¡Y preguntas si hay verdadera necesidad!

ADELA.—Pero, en realidad, nada esencial nos falta.

JUAN. (*Seco, sin mirarla, después de un momento.*)—Calla, por favor. (ADELA *se cala de nuevo las gafas y
cose.*)

ADELA.—¿Cuándo sabrás el resultado del primer ejercicio?

JUAN.—¡Ah!, no sé. (*Pasea.*) El Tribunal se toma todo
el tiempo que quiere para calificar. Pero Garcés está
al tanto; él va todos los días a la Facultad. Si hay
novedades, me avisará. (*Timbre lejano.*)

ADELA. (*Suspira y clava de nuevo la aguja.*)—Será
Mauro.

        (*Se quita las gafas y se levanta.*)

JUAN.—Me vuelvo al despacho. (*Va hacia el foro, con*

ella a su lado.) Hazme café, ¿quieres? Estoy cansado
de estudiar.

ADELA.—Ahora te lo preparo.

> *(Están en el pasillo del foro. Nuevo timbrazo.)*

JUAN. *(Seco, por* MAURO.*)*—Y, además, con prisas.

> *(Sale por la derecha y ella por la izquierda. Una*
> *pausa.* ADELA *vuelve a entrar, seguida de*
> MAURO. *Tiene éste unos cincuenta años y su*
> *presencia ofrece, si vale la expresión, una*
> *vulgar carencia de vulgaridad. Sus pantalones*
> *grises, descaradamente faltos de plancha y con*
> *rodilleras; sus viejos y deslucidos zapatos; la*
> *chaqueta deformada; la corbata vieja y la ca-*
> *misa de color, rozada y dudosamente limpia;*
> *todo parece delatar desaseo y pobreza. Ello*
> *contrasta, sin embargo, con el amaneramiento*
> *sutil de su cabeza. El cabello, gris, que le*
> *clarea por encima, cae sobre la nuca, en una*
> *masa de ensortijadas greñas: el conato de me-*
> *lena, con pretensión de elegancia del hombre*
> *que no frecuenta la peluquería. El encanecido*
> *bigote, mal recortado, también se riza y apun-*
> *ta dos leves principios de guía, que fingen*
> *cierto personal atildamiento. Trae bajo el bra-*
> *zo una cartera de cuero, grasienta y usada.*
> *Su enfática voz se oye antes de que aparezca,*
> *y nada más entrar se dirige a la poltrona,*
> *donde se deja caer con un suspiro de satis-*
> *facción.)*

MAURO.—¡Ay, hija mía! Esta casa es cómo un reman-
so. Porque no paro, Adelita no paro. ¡No se puede
ser hombre importante! *(Ríe, con una sonrisa hueca,*
en él habitual y nada convincente.) Espero no moles-
tarte...

ADELA. *(Va a recoger sus avíos de costura.)*—Ya sabes
que no.

MAURO.—¡Uf! Estoy deshecho. *(Bosteza con ganas y se*
tapa la boca.) ¿Hubo alguna llamada para mí?

ADELA. *(Mientras lleva la caja a la rinconera.)*—Hace

un momento. Dijo que ya hablaría él contigo. No quiso dar ni nombre ni teléfono. Pareció extrañarse de que no vivieses aquí.

MAURO.—¡Hola, hola!... Pudiera ser... Pero no, no creo. Está uno tan relacionado, que se confunde... *(Ríe.)* Bueno, ya respirará.

> (ADELA, *con las prendas que trajo en la mano, se dirige a la derecha.*)

ADELA.—Querrás un poco de café...

MAURO.—¿Un poco de café con leche? ¡Santa palabra! Pues mira, sí... Porque aún no he merendado y...

ADELA. *(En la puerta de la derecha.)*—Lo pongo a calentar y vuelvo en seguida.

MAURO. *(Se levanta, palpándose los bolsillos.)*—Entre tanto, si no te importa, haré una o dos llamaditas.

ADELA.—Bueno. *(Va a salir.)*

MAURO. *(Que busca ya una dirección en la libreta.)*—Pero, ¡qué cabeza la mía! No te he preguntado por tu marido... ¿Está?

ADELA.—Sí. En su despacho.

MAURO. *(Ríe.)*—Estudiando como un león, ¿eh? Bueno, ahora hablaremos. No te entretengo.

ADELA.—Ahora vuelvo.

> (Sale. MAURO *farfulla algo, mientras pasa el dedo por la libreta y encuentra lo que busca. Va al teléfono; pero, antes de descolgar, tuerce el gesto y sale al pasillo del foro para escuchar. Tranquilizado, vuelve al teléfono y marca un número. Espera.)*

MAURO.—¿Don Federico Anaya?... De don Mauro García. Sí, por favor. *(Espera.)* Sí, diga... ¡Caramba, cuánto lo siento!... ¿Seguro que no está, señorita?... Es que él me indicó... Sí, sí, es que él me indicó que le llamase a esta hora... Pues es raro, porque era cosa importante... No, claro. Cuando usted dice que no está... Pues muchísimas gracias y mil perdones. Adiós. *(Cuelga y se queda pensativo, con la mano en el teléfono. Vuelve a descolgar y marca otro número. Espera.)*

¿El señor Durán, por favor?... De parte de Mauro... Sí, *(Epera.)* ¡Ah!, ¿es usted, Josefina?... ¡Muchísimo gusto en saludarla!... ¡Eso mismo! ¡Deseando hablar con ese hombre para un asuntito que..., que nos interesa mucho a los dos! *(Ríe.)* Ya le habrá impuesto su señor esposo. Podría ser algo excepcional, porque... ¿Eh? ¡Ah!, ¡que tampoco está. *(Ríe.)* Discúlpeme, ¡qué cabeza! Quiero decir que no, que no está... Pues yo también lo siento mucho, y por él, por él... No importa, volveré a llamar esta noche... ¡O mañana, a la hora del almuerzo, sí, señora!... *(Ríe.)* ¡Pues encantado de saludarla y un saludo también muy cariñoso para ese gran hombre!... A sus pies, señora... Adiós. *(Cuelga y da unos pasitos indecisos, resoplando. Se detiene, escucha hacia el foro y se precipita al teléfono, mientras busca en su libreta otro número. Marca y espera.)* ¿Señor Malvido?... *(Solemne.)* Del subsecretario... Sí. *(Espera.)* ¿Qué tal, Malvido? Encantado de saludarle... *(Ríe.)* ¡No! Yo no soy el subsecretario, pero me han dicho de su parte que le diga a usted... Claro; sí, soy Mauro García... No; es que me han dicho en el Ministerio... Sí. Es que me han dicho... ¡Pero no se ponga así, Malvido!... Le ruego que me atienda, es importante... ¡Hombre, claro, para mí; pero también para usted, porque... ¡Malvido! ¡Yo no puedo tolerarle...! *(Le han colgado. Mira al teléfono y cuelga.* ADELA *vuelve. El reacciona con rápida transición y le sonríe.)* ¿Y el chico?

ADELA.—En su cuarto. ¿Te apetece ahora una copa?

MAURO. *(Va a sentarse a la poltrona y saca papeles de su cartera, que revisa y anota con un bolígrafo barato.)*—Siempre sostuve que el licor, antes, y no después del café. *(Ríe.)* Bueno, y después también. Pero lo mejor de todo, antes.

> *(Entre tanto,* ADELA *saca del estante inferior de la rinconera una copa y una licorera, que trae a la mesa.)*

ADELA.—Calla. *(Mira hacia el chaflán.)* ¿Se oye la radio?

MAURO.—No.

ADELA.—Me parecía... *(Sonríe.)* A veces la pone muy bajito.

    (Le lleva la copa.)

MAURO.—Gracias. *(Bebe un sorbo y lo saborea.)* ¿Cómo va Juan con la oposición?

ADELA.—Intranquilo. Aún no sabe si ha aprobado el primer ejercicio. *(Se acerca al chaflán.)* Puede que le hayan eliminado.

    (Levanta un poco la cortina. La puerta está cerrada.)

MAURO. *(La mira y señala hacia el chaflán.)*—¿Ocurre algo?

ADELA. *(Se vuelve y va hacia él con aire confidencial.)* —A veces abre muy quedito y se queda escuchando tras la cortina.

MAURO.—¿Por qué no la descorres?

ADELA.—Lo he intentado, pero entonces se pone inaguantable. Te abruma con sus miradas y sus actitudes... Hay que dejar que viva a su gusto.

MAURO. *(Apura su copa.)*—Es un coñac excelente.

ADELA.—No lo creas. Comprado a granel.

MAURO. *(Sonríe.)*—¿Qué importa eso? Cuando una cosa nos parece excelente, es que es excelente.

ADELA. *(Suspira.)*—Sí... *(Se sienta a la mesa.)* Eso lo decía nuestro padre.

MAURO.—¿Te acuerdas? *(Mira a los retratos del foro.)* Pero ¿cómo no te vas a acordar? Aquella fué una hermosa época, para ti sobre todo.

ADELA. *(Irónica.)*—¿Tú crees?

MAURO.—Pues claro. Eras entonces pequeñina: diez años. ¡La edad mejor!

ADELA.—Ninguna edad es «la mejor».

MAURO.—Vamos, no te quejes. Yo me largué cuando se murió mamá, pero tú te quedaste de princesita de la casa. Y Anita fué para ti como una segunda madre hasta el día mismo de tu boda.

ADELA.—¿Por qué te fuiste?

MAURO.—Nuestro padre se llevó un disgusto tremendo, ¿te acuerdas? Pero yo estaba hecho para volar...

ADELA. *(Melancólica.)* —Volar...

MAURO. *(Se levanta.)* —Y he volado lo mío, ¿eh? ¡Y aún me quedan alas! *(Ríe. Bosteza mientras habla.)* ¡Qué bien sienta este coñac! Me serviré otra copita, con tu permiso. *(Se la escancia.)*

ADELA. *(Mira al chaflán y luego, sin mirar a su hermano, bajando la voz.)* —¿Hace mucho que no ves a... Ferrer Díaz?

MAURO. *(Mirándola fijo, pero con tono anodino.)* —Anoche. Va a menudo al café. *(Bebe un sorbo y va a sentarse al sofá con su copa.)* Por cierto, que estaba contento el bueno de Carlitos Ferrer. Acababan de editarle en la Argentina su último libro. Todos dicen que es una cosa grande... *(Bebe.)*

ADELA.—¿Cómo se titula? *(Se levanta y va a sentarse en el brazo del sofá.)*

MAURO.—Algo así como... «Teoría de las Instituciones», o cosa parecida. (ADELA *se queda abstraída.* MAURO *la mira fijamente.)* Se me está ocurriendo, Adela..., una cosa.

ADELA.—¿Qué?

MAURO.—¿Qué te parecería si yo..., en tu nombre, le dijera a Ferrer que recomendase a tu marido?

ADELA. *(Se levanta.)* —¡De ninguna manera! *(Pasea, agitada.)*

MAURO.—No te alteres: piénsalo.

ADELA.—Juan no quiere ni oír hablar de recomendaciones. Además, los miembros del Tribunal le conocen... Casi todos son antiguos compañeros suyos. Unos le estiman, otros no. El ha dicho que hagan lo que les parezca, pues él no les dice nada.

MAURO.—Pues en estos tiempos...

ADELA.—Pero él pertenece a otros, y en eso le aplaudo. Se ha propuesto conseguir la cátedra con absoluta limpieza.... Le va el orgullo de su vida entera en este último esfuerzo.

MAURO.—¿Último?

ADELA.—Sí. Los dos sabemos que es el último. (Se apoya
en la mesa, alterada.)

MAURO. (Suave.)—La oposición será reñida...

ADELA.—Ya le aconsejé yo que no la hiciese. Pensar que
pueda ganar una cátedra de esa importancia, y para
la Facultad de aquí, es un puro disparate. (Se encoge
de hombros con desprecio.) Está enloquecido. Allá él.

MAURO.—Pero ya que está en ello..., querrás que la gane, ¿no?

ADELA. (Baja la cabeza.)—Sí, claro. (Se enardece y va
hacia él.) Pero no de ese modo. ¡Y menos con una recomendación de Carlos!

MAURO.—¿Porque fuisteis novios?

ADELA. (Mirando al chaflán.)—¡Baja la voz!

MAURO. (En voz baja.)—Ferrer es ahora un prestigio.
(Se levanta y va a su lado.) Y aunque no tenga vin-
culaciones oficiales, ni cátedra, yo creo que el Tribunal
tendría muy en cuenta una indicación suya. Yo podría decírselo..., incluso como cosa mía, sin nombrar-
te. Claro que él supondría de dónde venía el tiro, pero...

ADELA. (Le vuelve la espalda.)—¡Sería humillante!

MAURO.—A estas alturas..., ese orgullo resulta enveje-
cido, Adela. (Se sienta en la poltrona y bosteza.)

ADELA. (Se vuelve.)—No es sólo eso. Si Juan se enterase,
nunca me lo perdonaría. (Pasea.) Nunca, porque...
nunca sabría si la habría ganado por su propio mérito... si no hubiese sido recomendado. (Pensativa, se
detiene.) Y si, a pesar de todo, la perdiese..., ya no
podría dejar de pensar que no valía para nada, puesto
que ni con esa recomendación... (Se calla, cavilosa.)

MAURO.—¿Tú crees que la ganará sin recomendación?

ADELA.—No. No lo creo. Pero, ¿quién sabe? (Se sobresalta.) ¡Calla! (Se acerca al chaflán y espía.) ¡Ah,
qué nervios! Tú tienes la culpa, por venirme con esas
ideas... Voy por el café.

(Lo mira y advierte que se está durmiendo. Entonces va a la derecha, para salir.)

MAURO. *(Adormilado.)*—Pues ayer... Ferrer me preguntó...

      (ADELA *se detiene. Un silencio.)*

ADELA.—¿Qué?

MAURO.—*(Sin abrir los ojos.)*—Ferrer... ¿Qué tal va?
Y yo...

      (Silencio.)

ADELA.—¿Por quién te preguntó?

      *(MAURO no contesta: está dormido. Ella suspira
y sale. Una pausa. Suena el teléfono. MAURO
se solivianta, pero no despierta. JUAN aparece
por el foro, con las gafas caladas y un libro
en la mano y mira a MAURO con disgusto.)*

JUAN. *(Fuerte.)*—¡Mauro! (MAURO *se despierta, sobre-
saltado y lo mira con cara de estúpido.* JUAN, *con desprecio, por el teléfono.)* Será para ti.

      (MAURO *comprende y se precipita al teléfono.*
JUAN *deja el libro sobre la mesa, se quita las
gafas y coge la licorera para restituirla a su
sitio, con una fría mirada a su cuñado.)*

MAURO. *(Descuelga.)*—Diga... Dígame... *(Cuelga y se
vuelve, con servil sonrisa.)* Han colgado.

JUAN.—Qué pena, ¿verdad?

MAURO.—Esto me recuerda otra cosita que tengo pendiente... Voy a apuntarla, antes de que se me olvide.

      *(Se sienta en la poltrona y saca de su cartera
papeles, donde anota algo.)*

JUAN. *(Con intención.)*—Buenas tardes.

      (Se sienta a la mesa y se cala las gafas.)

MAURO. *(En Babia.)*—¿Eh? *(Ríe.)* Claro. ¡Qué cabeza!
Es que todavía estoy medio dormido. ¡Que no paro,
chico! Discúlpame... Buenas tardes. (JUAN *se pone
a leer.)* Esto del sueño es algo terrible, ¿sabes? *(Anota en sus papeles.)* A veces hay que alternar hasta las
tantas... y apenas se duerme.

JUAN.—¿Y cuándo, cuándo van a dar algún fruto esos asuntos tuyos?

MAURO.—Hombre, alguno van dando, puesto que uno vive. Pero, no creas: pronto voy a organizar un tinglado definitivo. Ya verás.

JUAN. (Seco.)—¿El qué?

MAURO.—Ah, pues en lo mío.

JUAN.—¿Y qué es lo tuyo?

MAURO.—Hombre, parece mentira que me lo preguntes. Recuerda que ya a los veinte años fuí director del cuadro artístico de Industrias Reunidas. (Confidencial.) Ahora se trata de algo semejante, pero más serio. Yo no quería: tengo muchas otras cosas que hacer. Pero se empeñaron, ¿sabes? Les habían hablado de mi competencia...

JUAN.—¿Artística?

MAURO. (Ríe.)—Claro, hombre. Es que va a ser una verdadera empresa de arte. Pero bien financiada. Y yo seré el director.

JUAN. (Incrédulo.)—Pues que tengas suerte.

MAURO.—Gracias. (Saca un papel de entre otros.) ¡Qué casualidad! Esto te conviene a ti, seguro.

JUAN.—¿El qué?

MAURO.—Una suscripción a la Enciclopedia Cortina. Es la más práctica, ya lo sabes. Doce tomos, pagaderos en mensualidades de...

JUAN. (Seco.)—No.

MAURO.—Te advierto que la casa puede ofrecerte condiciones especiales. Para profesores se suprime la entrega inicial y...

JUAN.—¡Que no, Mauro!

MAURO. (Ríe.)—Bueno, ya lo pensarás. (Breve pausa.) Supongo que habrás aprobado el primer ejercicio. Te felicito por adelantado.

JUAN.—Aún no sé nada.

MAURO.—Hombre, el primer ejercicio creo que siempre es fácil.

JUAN.—No esta vez. El Tribunal ha decidido alterar el orden y ha puesto uno de los más difíciles. Se ve que

quieren eliminar gente pronto... Hay que agradecér-
selo, en medio de todo. Así se sale antes de dudas. Puede que me hayan eliminado a estas horas.

MAURO.—¡Qué modestia! Aprobarás ése y los que ven-
gan.

JUAN.—¿Tú crees?

MAURO.—Apuesto por ti, amiguito. Esa cabeza vale mucho.

JUAN.—Gracias. *(Breve pausa.)*

MAURO *(Ríe.)*—¡Caramba! Aquí sale otra cosa que...
¿No te he hablado nunca del Seguro de Capitaliza-
ción de...?

(Esgrime un papel.)

JUAN. *(Deja el libro con un gran golpe sobre la mesa y
se levanta.)*—¡Mauro, por favor!

MAURO. *(Ríe.)*—Bueno, bueno... Otro día te lo explicaré...

> *(Vuelve a sus papeles.* JUAN *va al balcón, se
> quita las gafas y mira para afuera, nervioso.*
> ADELA *entra por la derecha, con el servicio
> del café en una bandeja.)*

ADELA. *(A* JUAN.*)*—Ah, ¿estás aquí? *(Se vuelve su marido.* ADELA *pone la bandeja sobre la mesa.* MAURO
*se precipita a guardar sus papeles y se frota las ma-
nos con lamentable prisa, que intenta ser distinguida.*
ADELA *sirve una taza.)* Para ti, sólo y sin azúcar. Toma. *(Se la tiende a* JUAN.*)*

JUAN.—Gracias. *(Se sienta y bebe.)*

ADELA. *(A* MAURO, *que se ha levantado y ha ido a su
lado.)* Con leche, ¿verdad?

MAURO.—Pues... *(Mira a* JUAN, *que lo mira.)*—Pues sí,
por favor. ¡Espera! Echaremos antes el azúcar... Es
lo suyo. *(Y echa él mismo una, dos, tres... y cuatro,
sí: cuatro cucharadas.* ADELA *echa la leche y le da la
taza.)* Gracias. ¿Tú no tomas?

ADELA.—No me sienta bien.

(MAURO *va a la poltrona, al tiempo que entra por la derecha* JUANITO: *un muchacho de unos diecinueve a veinte años, de fisonomía despejada y simpática, que viste con juvenil desaliño.*)

JUANITO. (*Sonriente, desde la puerta.*) —¿No hay para mí?

ADELA. (*Le sonríe.*) —Ya tardabas. ¿Lo quieres con un poco de leche?

JUANITO. (*Cruza.*) —Solo. Hola, tío.

MAURO.—Hola, Juanito. (JUANITO *toma la taza de manos de su madre.*) Menos mal que se te ve el pelo... Hay días en que vengo y ni siquiera te dignas salir para darle un beso a su tío... (JUANITO *bebe su taza de un golpe.*) ¿Qué haces, insensato?

JUANITO.—¿Eh?

MAURO.—No se bebe así... Hay que saborearlo...

JUANITO.—¿Qué más da? Es un estimulante.

JUAN. (*A* MAURO.) —Estilo de chico moderno. No creas que no les gustan los buenos sabores... Pero todo lo quieren hacer a prisa. Es la edad.

JUANITO. (*Seco.*) —Eso sólo significa que estamos vivos.

JUAN. (*Seco.*) —¿Qué quieres decir?

ADELA.—No váis a empezar, ¿verdad?

(JUANITO *toma el periódico y se retira hacia el foro, molesto, ojeándolo.*)

JUAN. (*Irónico.*) —Si no hay nada que empezar, mujer... Esto empezó ya hace mucho tiempo. Lo que me pregunto es por qué empezó.

ADELA.—Bueno; déjalo estar ahora. (*Va a recoger la taza de* MAURO.) ¿Quieres más?

MAURO.—No, gracias. (*Cabecea, adormilado.*)

ADELA. (*Vuelve a la mesa. A* JUAN.) —¿Quieres tú otro poco?

JUAN.—No, gracias. Me iré a trabajar.

ADELA.—¿Quieres otra taza, hijo?

JUANITO.—No, mamá.

ADELA. *(Arregla las tazas sobre la bandeja.)* —Entonces, me lo llevo.

JUAN. *(Se levanta.)* —Y yo me vuelvo al despacho.

JUANITO. *(Se interpone en su camino.)* —Espera, padre... Precisamente, quería decirte... Mejor dicho: quería pedirte un favor.

> (ADELA, *que levantaba ya la bandeja, la vuelve a dejar.)*

JUAN. —Tú dirás.

JUANITO. —Y a ti también, mamá... Tienes que ayudarme a convencerlo.

ADELA. —¿De qué se trata?

JUANITO. —Pues... Pero siéntate, padre.

JUAN. — *(Lo hace.)* —¿Tan largo va a ser?

JUANITO. —No, pero... *(Intrigada, ADELA se sienta también.)* Verás. Me han ofrecido una beca de tres meses.

ADELA. *(Inquieta.)* —¿Una beca?

JUANITO. *(Se sienta entre los dos y deja el periódico.)* — Para el extranjero. Si la pido me la conceden; me lo han prometido. Es poca cosa, pero yo ya me las arreglaría. Iría a los Albergues de la Juventud, que son muy baratos.

JUAN. —¿Qué es eso?

JUANITO. *(Con un movimiento de impaciencia.)* —Todos los países los tienen; es un convenio internacional. Aquí también los hay.

ADELA. —Pero, hijo...

JUANITO. —No creas que iba a perder el tiempo. Me llevaría mis apuntes, estudiaría. Y, además..., respiraría un poco. Lo necesito. *(Baja la cabeza.)* Todos mis compañeros salen cada verano. Me estoy quedando atrás... Y, sobre todo..., que aquí me ahogo. *(Una pausa. Los dos esposos se miran, perplejos.)* ¿Me dejas ir, padre?

JUAN. *(Indeciso, agitado.)* —Eres un egoísta.

ADELA. —¡Juan!

JUAN. —¡Tú tampoco quieres que se vaya!

> *(Se levanta y pasea.)*

ADELA.—No, pero...

JUAN.—Es un egoísta. No le importa nada el esfuerzo
que estoy haciendo... para todos; no le interesa saber
si voy bien o mal; no quiere comprender que vivo unos
días muy difíciles; sólo le interesan sus cosas, como
siempre.

JUANITO.—Creo que te lo tomas muy a pecho por sólo
tres meses.

JUAN.—¿Estás seguro de que sólo serían tres meses? De
más de un compañero tuyo sé yo que no ha vuelto.
¡Atrévete a afirmar que no lo has pensado!

ADELA. (Asustada.)—¿Has pensado eso, hijo?

JUAN.—Claro que sí. ¿Estás ciega? Se lo noto desde hace
tiempo. Se encuentra desarraigado, como muchos otros.
Y quiere ser más que nadie. Más que su padre, más
que...

JUANITO.—¿Es ahí donde te duele?

JUAN. (Se acerca, amenazante.)—¡Calla, descastado!
Quieres ser más que nadie, y más que tus amigos también. Fulano no ha vuelto; Mengano escribe que está
en Jauja. Y tú te pones a soñar con Jauja y con no
volver, por no ser menos que ellos. No tienes tú la culpa. Te han mimado demasiado. Pero ya eres un hom-
brecito y tendrás que aprender que todo el monte no
es orégano y que no te puedes permitir todos los ca-
prichos que quieras.

JUANITO.—No creo que hasta ahora haya podido permi-
tirme muchos.

JUAN. (Colérico.)—¿Es un reproche? Te estoy dando
más de lo que puedo darte: hasta mi misma carrera.

     (JUANITO va a contestar.)

ADELA.—¡Cállate, hijo!

     (MAURO no pierde palabra, pero, con sus pape-
     les, procura hacerse el desentendido.)

JUAN. (Pausa.)—No te irás. Así aprenderás, por lo menos, a no plantear las cosas cuando no son oportunas.

(JUANITO *se levanta y va, rápido, hacia la derecha.*)
¡Espera! (JUANITO *se detiene. Con tono más dulce.*)
Espera... (*Se acerca a él, entristecido, y le pone una
mano en el hombro.*) No sé por qué tiene que ser siempre entre tú y yo el disgusto. Tampoco tu madre quiere... Tienes que comprenderlo. A todos nos costaría
mucho dejar de verte... Y a mí mismo, en estos días...

> (*Deja caer su brazo, cansado de una explicación
> que juzga inútil y se va lentamente por el
> foro, después de recoger su libro y sus gafas.
> ADELA se levanta y va a abrazar a JUANITO.*)

ADELA.—Tienes que disculparlo, hijo. Está nervioso.
(*Se interrumpe y suspira.*) En fin...
JUANITO.—¿Por qué no me has ayudado?
ADELA.—El mismo te lo ha dicho. No era oportuno, aho-
ra que está pendiente de su oposición.
JUANITO.—La perderá. Es un adocenado.
ADELA.—¡Calla!
JUANITO.—Un triste encargado de curso. Y ahora, casi
en la vejez, se empeña en ganar una cátedra. ¡Es ri-
dículo!
ADELA.—No hables así.
JUANITO.—Tienes que ayudarme, mamá. No quiero re-
trasarme definitivamente, como le ocurrió a él. Todos
los días piden el pasaporte cientos de muchachos. Ne-
cesitan respirar, como yo. Volar...
ADELA. (*Melancólica.*)—Volar...
MAURO.—Yo también lo quise a su edad... Es lógico...
JUANITO.—Tú no puedes querer que me ahogue aquí. Tú
no puedes quererme mal. Tú no eres una madre cha-
pada a la antigua, tú eres comprensiva...
ADELA.—Ya veremos, hijo. Más adelante...
JUANITO.—¡Pero más adelante perdería la beca!

> (JUAN *vuelve a aparecer en el foro. Callan, in-
> mutados.*)

JUAN. (*Avanza, colérico.*)—Ni tú, ni tú, tendríais el menor interés...
ADELA.—Pero, Juan, ¿otra vez?

JUAN.—¡No sabes lo que voy a decir! Quería decir que
ni tú ni Juanito tendríais el menor interés en hacer
desaparecer el encendedor de plata de mi mesa. ¿O
lo habéis cogido vosotros?

ADELA.—¿Nosotros?

JUAN.—¡Claro que no! *(A MAURO.)* ¡Luego has tenido
que ser tú!

MAURO. *(Se levanta, convertido en la Inocencia ultra-
jada.)* ¿Yo? ¡Si no he entrado en tu despacho!

JUAN.—¡Hoy, no! Pero ayer, sí. ¡Entras cuando se te
antoja! Como la casa es tuya, ¿no? *(Le coge por las
solapas.)* ¡Pero entérate de una vez de que las cosas
de la casa no son tuyas!

MAURO.—¡Vamos, es inaudito! ¡Voy a ser yo quien se
lleva todo lo que se pierde!

JUAN.—¡Porque lo eres! ¡Porque eres un...!
ADELA.—¡Juan!

> *(Suena el teléfono. JUAN suelta a MAURO y va
> a tomarlo de mala gana. MAURO se alisa el
> traje. Murmura.)*

MAURO.—¡No se puede tolerar cómo está este hombre...!
JUAN. *(Al teléfono.)*—¡Diga! *(Le cambia la expresión.)*
¡Hola, Garcés! Dime... ¡Magnífico!... Gracias, hombre. Muchas gracias... ¿Cuántos?... ¡Caramba! Eso
sí que es un triunfo, ¿eh? (ADELA *ha comprendido y
se aparta hacia el balcón.)* Pues yo también a ti te
felicito... ¿Para cuándo el segundo?... ¿Mañana a
las nueve? Bueno, no importa demasiado, es la Memoria y ya la tengo hecha. Sí, dime... No te apures, hay
tiempo. Y si quieres, te llevo yo mañana los apuntes...
Claro, hombre, para eso estamos. Competencia, pero
leal... De nada, de nada... Pues hasta mañana y enhorabuena otra vez. Adiós. *(Cuelga, sonriente.)* He
aprobado el primer ejercicio. Han eliminado a diecinueve. Quedamos cinco.

> *(Lo ha dicho mirando a su mujer y a su hijo.)*

MAURO. *(Risueño.)*—Un resultado muy halagador... Para eso hay que valer mucho... ¡Mi más sincera enhorabuena!

> *(Breve pausa. A* JUAN, *pendiente de los suyos, se le va yendo la sonrisa.)*

ADELA. *(Reacciona y le sonríe.)*—Me alegro mucho.

JUAN.—Gracias.

> *(Su fisonomía se ensombreció de nuevo. Mira a su hijo, pero éste no sabe mentir.)*

JUANITO. *(Seco.)*—Te felicito.

> *(Y sale rápido por la derecha.* JUAN *suspira y va a salir, cansado.* MAURO *elude su mirada.)*

JUAN. *(Desde el foro, los mira a los dos.)*—Recuerda lo que te dije antes, Adela. No quiero llevar la cosa más adelante; pero... *(Señalando a* MAURO *con la cabeza.)* procura resolvérmela tú.

> *(Sale.* MAURO *se sienta en la poltrona.* ADELA *lo mira, disgustada.)*

ADELA.—¿Por qué haces esas cosas, Mauro?

MAURO.—¡Si no he sido yo, Adela! Ya verás cómo aparece en cualquier rincón.

ADELA.—No sé cómo decírtelo... Ya ves lo nervioso que está. Me ha rogado que, al menos estos días..., procures no aparecer por aquí.

MAURO.—Yo creo que no es más que un pronto de los suyos... Ya lo conoces.

ADELA. *(Estalla.)*—¡Por favor, no me lo hagas más difícil!

MAURO.—Bien... Se hará como tú dices. *(*ADELA *suspira y va a sentarse junto a la mesa.* MAURO *mira su reloj.)* Me tengo que ir... Me esperan en el café. Puede que me encuentre a Ferrer Díaz; a veces va por la tarde... *(La mira y se acerca.)* Aunque Juan me haya insultado, no se lo tengo en cuenta. Creo que hay que ayudarle. ¿Quieres que le hable a Ferrer?

ADELA. *(Débil.)*—No. (MAURO *se encoge de hombros y va a volver a la poltrona.)* Oye..., ¿por quién te preguntó ayer Ferrer?

MAURO.—¿Qué dices?

ADELA.—Hablabas de eso antes, adormilado.

MAURO.—Ah... *(La considera.)* Me preguntó por ti. *(Ella lo mira con vivísimo interés.)* Que cómo estabas... Que qué tal te iba...

ADELA.—Preguntas de cortesía, ¿no?

MAURO.—Yo no diría eso. Parecía realmente interesado. Y cuando le expliqué que no eras feliz...

ADELA.—¿Eso le dijiste?

MAURO.—Perdona si hice mal. Se me escapó. Y él... parecía apesadumbrado.

ADELA.—¿Y qué más?

MAURO.—No pasamos de ahí.

> *(Un silencio. Un par de gorjeos aislados llegan desde la lejanía por el balcón.)*

ADELA.—Escucha. Ya empiezan a cantar los pájaros.

> *(Se levanta y va hacia el balcón.)*

MAURO.—Sí... *(Se acerca.)* Oye, Adela: aunque sólo sea mañana, me va a ser imprescindible venir. Espero una llamada muy importante, y tú no puedes contestarla por mí... Yo procuraré venir sin que lo note Juan. ¿Me dejas? *(Algún otro gorjeo, al que se suman poco después otros. Lentamente, van menudeando hasta el final de la acción.)* Anda, sé buena... Di que sí.

ADELA. *(Débil.)*—Mañana solamente.

MAURO.—Descuida.

> *(Vuelve, rápido, a la poltrona, para recoger su carpeta.)*

ADELA. *(Que ha vuelto, despacio, su cabeza hacia el chaflán.)* Calla... ¿No oyes algo? *(Da unos pasos.)*

MAURO.—No. *(La cortina del chaflán se mueve y entra* ANITA *con los ojos bajos.* ADELA *suspira, nerviosa, y retrocede un paso.* ANITA *es una mujer cercana a los*

*cincuenta años, envejecida y de expresión ausente. Po-
bremente vestida con un trajecillo casero, quizá no
muy aseada, con mal peinadas greñas que rodean a
su cara marchita. Por un momento, permanece junto
al chaflán sin mirar a nadie, y luego avanza con los
ojos bajos hacia el primer término.* MAURO *se acerca
al verla, y, a su paso, la toma de una muñeca.)* ¿Cómo
estás, Anitá? *(Ella se detiene, sin responder.* ADELA
no la pierde de vista.)* ¿No me dices nada?

> *(Ha abandonado su muñeca y le pasa suavemen-
> te la mano por los cabellos.* ANITA *lo soporta
> con un leve encogimiento evasivo, tras el que,
> de pronto, rompe a andar de nuevo y sale por
> la derecha.)*

ADELA. *(Avanza, con los ojos fijos, tras ella.)* —Va al
cuarto de mi hijo.

MAURO. —Veo que se obstina en no soltar palabra...

ADELA. —Juanito es el único que la humaniza algo... A
veces logra hacerla reír, con sus salidas, y hasta decir
alguna que otra frase. Lo adora...

MAURO. *(Va a la mesa, mirando a su hermana con curiosidad.)* —¿La ha visto algún otro médico?

ADELA. *(Se vuelve.)* —Prefiero que no la atormenten más.
Además, sería inútil..., porque lo suyo no es locura.

MAURO. —Desde luego, puede que se trate sólo de un ca-
rácter débil, propicio a rarezas... Alguno de ellos lo
dijo así, ¿no? *(Se sienta.)*

ADELA. —Sí.

MAURO. —Pero, a veces, te hace dudar.

ADELA. —A mí, no.

MAURO. —¿En qué te basas?

ADELA. —Sé lo que me digo. Lleva ocho años a mi lado:
desde la muerte de nuestro padre. La conozco bien.
(Cruza.)

MAURO. —Pero ya entonces se encontraba rara... Yo diría
que incluso desde antes.

ADELA.—Cuando se quedó sola con él no se distraía mucho... Luego murió y aumentó su tristeza. Era lógico.

(Se sienta a la mesa.)

MAURO.—Algo más que tristeza... Era incapaz de valerse por sí sola. La prueba es que te la tuviste que traer.

ADELA.—Era mi hermana. Menos mal que Juan la tolera bien. *(Suspira.)* Ocho años...

MAURO.—*(Bosteza sin ruido.)*—Por lo menos, te has portado bien con los hermanos, y de eso debes estar satisfecha. Otras no lo habrían hecho.

ADELA.—A veces me preguntó el porqué de todo esto.

MAURO.—¿De qué?

ADELA.—Yo era una muchacha llena de ímpetu, de alegría... Me he convertido en una mujer triste, cansada y temerosa.

MAURO.—¿Temerosa?

ADELA.—Los años pasan y noto que todo me va aplastando... sin que yo pueda hacer nada, ¡nada!, para evitarlo. Quizá sea una ley general y haya que aprender a resignarse. ¡Pero yo no sé resignarme!... Y me siento estafada, y tengo miedo.

MAURO.—¿A qué?

ADELA.—A hundirme del todo. *(Baja la cabeza. Un silencio. Gorjeos. Levanta la cabeza y sonríe.)* ¿Los oyes? Parece una tontería, pero me consuelan de muchas cosas... *(Se levanta y va al balcón.)* Me distrae observarlos... Me calma.

MAURO.—¿Los pájaros?

(Va a la poltrona para recoger su cartera. Lo piensa mejor, bosteza y se sienta.)

ADELA.—Como el parque está cerca, se llena el cielo de ellos cuando cae la tarde. Cantan, giran... Oyelos. No tardarán en venir muchos más. Entonces pían como locos... *(Un silencio. Los gorjeos de los pájaros, que fueron poco a poco menudeando desde que se oyeron, muy espaciados, los primeros, son ahora frecuentes. ANITA reaparece por la derecha y mira a su hermana, que sigue vuelta hacia el balcón.* MAURO *observa a* ANITA, *que se acerca en silencio a* ADELA *y mira al cielo tras ella.* ADELA *nota algo y se vuelve despacio. Levísimo movimiento de aprensión al ver a su hermana, que sigue mirando sin hacerle caso, y sonríe un instante al escuchar los gorjeos, que menudean. Después baja la cabeza; se vuelve y da unos pasos hacia el foro.* ADELA *va tras ella.)* Anita... (ANITA *se detiene sin mirarla, y ella llega a su lado.)* ¿No saludas a Mauro? *(Con una mirada furtiva a su hermana, se separa* ANITA *y va a ojear, trivial, el periódico sobre la mesa.)* ¿Has estado con Juanito? *(La fisonomía de* ANITA *se ilumina.)* ¡Dinos qué te ha contado!

MAURO. *(Oficioso.)*—¿Qué te ha dicho, Anita, qué te ha dicho? (ANITA *lo mira y sonríe abiertamente. Parece que va a reír, a iniciar un relato. Pero la sonrisa desaparece. Vuelve a mirar a su hermana, recoge el periódico y va hacia el chaflán con expresión impenetrable, desapareciendo tras la cortina. Entonces* ADELA *va al chaflán para comprobar si cerró la puerta; está cerrada. Por un instante queda junto a ella, turbada. Los gorjeos son ahora muy numerosos.* MAURO *da una cabezada y se despabila.)* ¿Qué decías antes de los pájaros?

ADELA. *(Reacciona.)*—Oye cuántos hay ahora. *(Avanza.)* Me encantaban ya cuando era pequeña. Después de jugar, por las tardes, me sentaba a mirarlos... Me parecía que también yo, cuando fuera mayor, sería como ellos, libre y alegre. *(Sonríe.)* Qué decepción, ¿verdad? *(Mira al balcón.)* Pero ellos no han cambiado. Vuelven todas las tardes, alegran la casa y resucitan mi alma de niña. *(Va hacia el balcón.)* Y entonces me olvido de todo, y me parece como si aún tuviese esperanza... Míralos. No son como nosotros: vuelan. Luchan por sus hijos; a veces, caen bajo la garra de sus enemigos... Pero vuelan. Les sobra siempre vida para despedir al sol en medio de una borrachera de cantos. Celebran su fiesta delirante. Son la alegría del aire. El gozo de la vida sin trabas. ¡Mira cómo giran, y vuelven, y se persiguen! ¡Mira aquellos dos cómo se buscan! ¡Y allí otros dos!... Juegan a emparejarse... Son felices...

> *(Retrоce un poco para apoyarse en la mesa, sin dejar de mirarlos con ojos extasiados. Hace tiempo que* MAURO *no la escuchaba: ha vuelto a rendirle el sueño. El sonoro escándalo de gorjeos invade la habitación durante unos segundos.)*

TELON

CUADRO II

Al día siguiente. Media tarde. En la mesa almorzaron dos personas, y todavía no se ha levantado el mantel. Platos, cubiertos, copas a medio beber.

> *(Sentada en la poltrona, ADELA lee un libro, en el que no logra concentrarse. Se oye, muy bajito, la radio. Es una musiquilla lánguida, que se filtra por el chaflán y que obliga a ADELA a levantar la cabeza y a escuchar, con aire turbado. Llega el golpe lejano de la puerta del piso. ADELA mira al foro; se levanta y avanza unos pasos, intrigada. Por la izquierda del foro aparece JUAN, vestido de calle, con una cartera de cuero bajo el brazo.)*

ADELA.—¿Tú?

JUAN. *(De mal humor.)*—Ya lo ves.

> *(Tira la cartera sobre la mesa, va al balcón, lo abre.)*

ADELA.—¿Ha pasado algo?

JUAN.—No.

ADELA.—Como avisaste de que no vendrías hasta la cena...

JUAN.—Quería esperar el resultado con Garcés. He comido con él porque nos dijeron que este ejercicio lo calificarían pronto; que hacia las cinco darían la lista.

ADELA.—Pronto serán las cinco.

JUAN.—Ya lo sé. Pero me aburría y me vine. *(Cruza y se desploma sobre la poltrona.* ADELA *va a dejar el libro en la estantería. El se lo toma.)* ¿Qué leías?

ADELA.—Cualquier cosa. Por pasar el rato. *(Mete el libro en la estantería y se recuesta en un brazo de la poltrona. Breve pausa.)* ¿Te han eliminado?

JUAN.—¿Cómo te voy a decir que espero la llamada de Garcés? *(Se levanta para volver al balcón.)* Pero no creo que eliminen hoy a nadie. Era un ejercicio de protocolo: la presentación y explicación de la Memoria pedagógica.

ADELA.—¿Por qué no has esperado a la lista entonces?

JUAN. *(Se vuelve, airado.)*—¡Porque tenía miedo! ¿Es eso lo que querías que dijera?

ADELA.—Pero, Juan, yo sólo quiero saber...

JUAN. *(Más calmado.)*—Me dan muy mala espina estas prisas por calificar las Memorias. Temo que... quieran hacer... alguna barrabasada. *(Mira a su reloj.)* En fin, hay que esperar... *(Pausa.)* ¿Cómo no has recogido la mesa?

ADELA.—No tenía humor para nada. Estaba intranquila.

JUAN. *(La mira.)*—¿Por mí?

ADELA.—Pues claro. *(Breve pausa.)*

JUAN.—Acabas de decirme una cosa muy agradable... *(Va a sentarse al sofá.)* Quizá lo que pasa siempre es que nos sobra suspicacia. Nos vamos hundiendo en el silencio y acabamos por pensar mal los unos de los otros. Estabas intranquila por mi suerte, y, sin embargo... Ya ves: cada vez que voy a la Facultad desearía que me dijeses algo que se me antoja muy natural... y que nunca me dijiste.

ADELA.—¿El qué?

JUAN.—Pues... pensaba que podías decirme: Telefonéame en cuanto termines, con tu impresión. *(Ella le mira, sonriente.)* Lo pensaste, ¿verdad? Pero no lo decías.

ADELA.—Tampoco tú eres muy locuaz...

JUAN.—Tampoco. Los dos mantenemos nuestras cartas boca abajo, en vez de enseñarlas... y, poco a poco, se

malea el juego. (ADELA *se levanta y va a cruzar.*)
Ven aquí. (ADELA *va a su lado.*) Siéntate. *(Ella lo
hace y él la estrecha suavemente contra sí.)* Puede
que me hayan eliminado... No lo sé. Pero si probá-
ramos en adelante a... levantar algunas de esas cartas que no enseñamos..., no me importaría demasiado.

ADELA.—No te pongas en lo peor... Aún no sabemos nada.

JUAN.—No me has contestado.

ADELA.—¿A qué?

JUAN.—¿Lo ves? Otra vez las evasivas. Nuestra unión
parece una lucha sorda.

ADELA.—No lo es.

JUAN.—Como si lo fuese... Y ahora peor que antes. Porque antes, al menos, era más franca.

ADELA.—¿Cuándo?

JUAN.—En mis dos primeras oposiciones. Las seguiste
como si fueran tuyas, me animabas frenéticamente...

ADELA.—Ya ves cómo no había ninguna lucha.

JUAN.—Sí la hubo. Al perderlas no me ahorraste ni tu
desdén ni tus reproches. Pero quizá era preferible eso
a lo que ocurrió en la tercera que hice. Entonces ya
no reclamabas noticias, ni me reprochaste nada. Era
la indiferencia.

ADELA.—No.

JUAN.—Pues lo parecía... *(Grave.)* Como lo viene pare-
ciendo ahora, en la cuarta. *(Baja la cabeza.)* Y eso
es lo duro para mí, Adela. Porque yo... *(Vacila, conmovido.)* Yo...

> *(Ella mira el chaflán. La música cesó durante las
> anteriores palabras. Un silencio.* JUAN *levanta
> la cabeza y la mira. Su fisonomía se endu-
> rece.)*

ADELA.—Ha apagado la radio.

JUAN. *(Seco.)*—Sí. *(Mira a la mesa.)* ¿Tampoco ha comido hoy con vosotros?

ADELA. *(Deniega.)*—Juanito intentó convencerla, pero
no lo consiguió. ¿No estará tras la cortina?

JUAN.—La habríamos oído.

ADELA.—A veces, no se la oye.

JUAN. *(Seco.)*—Estará trabajando en el jersey para el chico. *(ADELA se levanta y da un paso hacia el chaflán. El la interpela con fuerza.)* ¿Qué vas a hacer? *(Ella se sobresalta y se detiene.)* Te estaba hablando de otras cosas... No me has escuchado. ¿Qué te pasa? *(Suena el teléfono. El se asusta a su vez. Se miran.)* Garcés.

ADELA.—¿Quieres que lo tome yo?

> *(JUAN deniega y va al teléfono. Al fin, se decide a tomarlo. Ella se acerca, interesada.)*

JUAN.—Diga... *(Mirando a su mujer.)* Hola, Garcés. *(Se le ilumina la cara.)* ¡Vaya! Respiro... Me había llegado a inquietar esa historia de la calificación inmediata. *(Ríe.)* Gracias, hombre... *(Frunce el ceño.)* ¡Ah! ¿Dos eliminados? Entonces era cierto... Fresnelda; no me extraña. No es de muy buen gusto eliminarle por la Memoria, pero se lo merece... Aunque sólo sea por lo recomendado que iba. A ver si es verdad que esta vez quieren hacer justicia nuestros «amigos» del Tribunal... Claro. Pero entonces, ¿quién es el otro?... ¿Cómo? *(Consternado, mira a su mujer.)* Sí... Sí... *(Triste.)* No sé qué decirte... ¡No te preocupes, ya me devolverás los apuntes más adelante!... ¡No, no te desanimes! ¡Hay que esperar a otra, qué diablos! ¿Eh?... No, hombre, no se me olvida. Mañana a las diez. Gracias... De verdad que lo siento, Garcés. De verdad... Sí, claro, alguien tenía que ser, pero... ¡Ojalá! Adiós. *(Cuelga.)* Nuestros «amigos» del Tribunal lo han eliminado. Para él, un golpe terrible, porque vale. *(Suspira.)* Es una excelente persona; no ha olvidado avisarme para el tercero. Ese es sencillo, pero él ya no lo hará. *(Sonríe con tristeza, va a la mesa y se apoya en una silla.)* Ya ves qué contrasentido: es un rival menos y me duele como si fuera yo mismo... *(Baja la voz.)* Y es que, en cierto modo, era yo mismo. Porque él y yo éramos los úni-

cos... mayores que quedábamos después de la primera
eliminatoria. Ahora me voy a sentir mucho más solo
en la Facultad... Quedan los dos rivales más peligro-
sos y son gente de otra hornada. (ADELA *se acerca y
le abraza. El la besa.*) Preveo que el Tribunal tiene
ya su candidato. Mañana veré qué se dice por los pa-
sillos...

ADELA.—No lo pienses más. Lo importante es que has
salido de ésta.

> (*Se desprende y empieza a hacer una pila con
> los platos para llevárselos.*)

JUAN. (*Enciende un cigarrillo.*)—Sí, desde luego. (*Va a
salir por el foro. Se detiene.*) Gracias por haberle hablado a Mauro. Ya veo que hoy no ha venido.

ADELA.—Verás... No me dió tiempo de decirle nada.

> (*Deja los platos.*)

JUAN. (*Frunce el ceño.*)—¿Cómo?

ADELA.—Me costaba trabajo... Hazte cargo... Pero se lo
diré hoy..., si viene.

JUAN. (*Molesto.*)—Claro que vendrá.

> (*Y sale por la derecha del foro. Una pausa.
> ADELA mira al chaflán y se acerca despacio a
> él. Ya allí, descorre súbitamente la cortina.
> ANITA, de pie tras ella, la mira. ADELA re-
> trocede unos pasos. ANITA va a la poltrona y
> se recuesta en ella con los ojos bajos.*)

ADELA.—Lo sabía... Te equivocas si crees asustarme con
esas tretas. (ANITA *la mira fijamente, desvía la vista
y suspira. ADELA va a su lado.*) ¡No, por favor! No te
hagas la mártir. La mártir soy yo, y tú lo sabes de sobra. Todo me ha salido mal; quisiera al menos descan-
sar, y no puedo. No quieres tú dejarme. Pero, ¿por
qué? Me parece que no soy tan mala contigo. Tuve
que vencer la resistencia de Juan para traerte con
nosotros, y te atiendo y procuro darte todos los gus-
tos..., sin recibir otro pago que tu silencio. (*Le aferra*

el brazo, y ANITA *se vuelve, asustada, a mirarla.*) Un silencio premeditado, porque tú no estás loca. (*La suelta, agitada.*) Estás... resentida. (ANITA *desvía súbitamente la mirada.*) Con los nervios rotos, como yo. Es cosa de familia, acuérdate... (*Señala a los retratos del fondo.*) Papá era igual. Y Mauro. (*Cruza hacia la mesa. Se vuelve.*) Todos estamos un poco desquiciados. ¡Pero locos, no! No. (ANITA *se incorpora y va hacia ella con la vista baja.* ADELA *dulcifica su tono.*) Y por eso espero todavía que alguna vez seas humana conmigo..., que accedas a conversar y a franquearte, como a veces haces con Juanito..., hermana. (*Le pone una mano en el hombro.* ANITA, *que había apoyado las manos en la mesa, se evade y toma la pila de platos. Con aire humilde, se dispone a irse. La fisonomía de* ADELA *se endurece; da unos pasos y la detiene.*) ¡Deja eso! (*Le recoge los platos para volverlos a la mesa.*) Ya sé que otras veces ayudas; pero ahora no te lo paso. Si la mesa está como está, no tienes tú por qué reprochármelo. Demasiado bien llevo la casa para el poco dinero que aquí entra... (ANITA *la mira con ojos de asombro y un levísimo gesto de negación.*) ¡No digas que no! Tu actitud era un reproche más, como siempre.

> (*Se miran.* ADELA *sufre un repentino cansancio y se sienta, suspirante, tras la mesa.* ANITA *se separa un poco hacia la derecha. A sus espaldas,* ADELA *le envía una penosa mirada. Se oye el golpe lejano de la puerta del piso.* ANITA *se vuelve hacia el foro, con la cara alegre.* ADELA *mira también. Breve pausa. Por la izquierda del foro entra* JUANITO, *con un par de libros bajo el brazo.*)

JUANITO. (*Alegre.*)—¿Qué hay?

> (ANITA *va hacia él.* JUANITO *deja los libros sobre la mesa y besa a su madre.*)

ADELA.—Vaya... ¿Vienes a hacernos compañía esta tarde?
JUANITO.—Me voy en seguida. El tiempo de dejar estos

libros y de coger otro que voy a prestar... *(Mira de re-*
ojo, con sorna, a ANITA, *que le sigue sonriente y ex-*
pectante.) Y de darle un beso a la tía... *(Le toma la*
barbilla y la besa.) que lo estaba esperando... *(Ríe. En*
broma, frunce el ceño.) ¿Cómo? ¿Con los brazos cruza-
dos? *(La amenaza con el dedo.)* ¿Cuándo va usted a
terminar el jersey? Estoy deseando saber para quién
es... *(*ANITA *desvía la mirada, seria. El la abraza.)* ¡Mira qué a pecho lo toma!...

        *(*ANITA *le sonríe, evasiva.)*

ADELA.—¿Por qué no te sientas un poco? No paras.

JUANITO.—A usted también va a haber que reñirla... ¿Qué
  hace la mesa así a estas horas? Pero me viene de pe-
  rilla.

      (Toma una copa de vino casi llena y se la bebe.
      Sin dejar de escucharle, ANITA *vuelve a tomar*
      la pila de los platos. Repara entonces en los
      libros que dejó JUANITO *sobre la mesa y su*
      expresión cambia. Toma uno, lee la portada;
      mira el otro. Entretanto:)

ADELA. *(Intrigada.)*—¿Qué te pasa a ti hoy?

JUANITO.—¡Chist! Grandes novedades. *(Busca los libros.)*
  ¿Me dejas? *(Se los toma a* ANITA *y se los tiende a su*
  madre. ANITA *no los pierde de vista.)* Mira.

ADELA. *(Lee, turbada.)*—Ferrer Díaz...

      *(*ANITA *coge la pila de platos y va, despacio,*
      hacia la derecha. Tras detenerse un momento
      junto a la cortina, sale. ADELA *la mira salir.*
      Entre tanto, JUANITO *se sienta, presuroso, jun-*
      to a su madre.)

JUANITO.—Me he gastado todos mis ahorros. Los libros
  están caros ahora. Tendrás que darme unos durillos.

ADELA. *(Mirando los libros.)*—Bueno, hijo.

JUANITO.—En realidad, los he comprado para ti tanto
  como para mí.

ADELA. *(Con una involuntaria mirada a la derecha.)*—
  Calla.

JUANITO. *(Se los quita de la mano para dejarlos en la mesa.)* Son muy difíciles de encontrar, ¿sabes? Al librero sólo le quedaban éstos por verdadera casualidad. Y ahora, prepárate, porque aún no te he dicho lo más gordo.

ADELA.—¿El qué?

JUANITO. *(Baja la voz.)*—Dentro de seis días, el martes de la semana que viene..., lo voy a conocer.

ADELA.—¿A Ferrer Díaz?

JUANITO.—Queremos ir a su casa unos cuantos estudiantes y es el día que nos conviene a todos. Naturalmente, le llevaré los libros para que me los dedique. *(Su madre lo mira, conmovida.)* Te lo juro, mamá: estoy emocionado.

> (ADELA *le pone, cariñosa, la mano en el hombro.)*

ADELA.—Lo comprendo.

JUANITO.—Me acuerdo de cuando te hablé de él por primera vez. Entonces su nombre apenas te sonaba. Lo recordabas vagamente, como a un antiguo compañero de mi padre, o como un nombre que se lee en los periódicos... *(Ríe.)* Y ahora le admiras casi más que yo.

ADELA. *(Sonríe.)*—Es que tú eres muy convincente. *(Se levanta.)*

JUANITO.—Y, sin embargo, fíjate qué curioso: siempre he tenido la impresión de que la primera vez que oí hablar de él, fué a ti.

ADELA. *(Se yergue.)*—¿A mí?

> (ANITA *aparece sigilosa por la derecha y escucha, recostada en el quicio.* ADELA *la mira y cruza hacia el fondo.)*

JUANITO.—Parece un recuerdo de niño. Sin duda es falso, pero lo veo con mucha nitidez.

ADELA.—Seguro que te equivocas.

> (ANITA *cruza y recoge, en una bandeja que traía, botella, jarra, vasos y copas.)*

JUANITO.—Claro. Pero te veo aquí mismo, frente al balcón, con aire triste... Yo entro y me llamas. Me besas.
Y dices: «¿Verdad que sí? ¿Que tú serás otro...?»

ADELA. *(Nerviosa, le interrumpe riendo.)* —Y pronuncio
su nombre, ¿no?

JUANITO.—Sí.

ADELA.—Lo has soñado.

> *(ANITA la mira de reojo y cruza, saliendo con
> su carga por la derecha.)*

JUINITO. *(Grave.)* —Es posible... Un sueño posterior donde se muestra lo que yo creo que tú quieres...

ADELA.—Sobre todo, lo que tú quieres llegar a ser.

JUANITO. *(Asiente.)* —Y lo que quiero llegar a ser.

ADELA. *(Avanza.)* —Llévate pronto esos libros a tu cuarto. Que no los vea tu padre.

> *(Empieza a recoger el mantel y deja los libros
> sobre el hule.)*

JUANITO.—Descuida. *(Se levanta.)*

ADELA.—Ha aprobado el segundo ejercicio. No te olvides
de felicitarlo.

JUANITO.—Lo haré. Pero tú tienes que prometerme otra
cosa.

ADELA.—¿Qué cosa?

JUANITO.—Tienes que ayudarme a convencerle de que
me deje hacer el viaje. (ADELA *se sienta, perpleja.*) ¡No
querrás que me consuma aquí, que me convierta en
otro mediocre auxiliar de cátedra!... *(Pasea.)*

ADELA. *(Triste.)* —¿Lo ves? No hablas como si se tratase
de unos meses, sino de una ausencia de años. En el
fondo, es lo que deseas. Y esta casa, sin estar tú, aca-
bará por caérsenos a todos encima... Por caérseme encima.

JUANITO. *(Le pone las manos en los hombros.)* —Pero
luego, dentro de unos años, será distinta. Yo la sabré
hacer alegre para ti. Tú todavía serás una madre joven y guapa, y estarás orgullosa del prestigio de tu
hijo, el joven y eminente profesor. *(Ríe.)* ¡Vamos, sue-

ña conmigo! ¡Los sueños se realizan si se piensa mucho en ellos! *(Se sienta a su lado.)* Imagínatelo... Nos
sentiremos libres y gozosos, como esos pájaros que a ti
te gustan tanto. Y un día invitaremos al profesor Ferrer, y reiremos los tres juntos, comentando estos tiempos en que tú y yo leíamos sus libros casi a escondidas... *(Se calla de pronto, serio. Un silencio mortal.
Su madre se levanta de su sitio y va hacia el fondo.
Se vuelve, mirando a su hijo con ojos angustiados e
hipócritas.* JUANITO, *que bajó la cabeza, la mira un
segundo, inquieto. Al fin, puede tartamudear:)* No...
No he pensado nada malo... Yo... *(Mirada involuntaria hacia el foro.)* Es natural...

> *(Se muerde los labios. Se miran, con una punta
> de horror en los ojos: cómplices.* ADELA *vuel-
> ve la cabeza, turbada.* JUANITO *también.* ANITA
> *reaparece y cruza sin mirarlos, para recoger
> el mantel y las servilletas. ¿Ha oído algo?
> Cruza de nuevo y sale. Madre e hijo no se
> atreven a mirarse. Timbrazo lejano.* JUANITO
> *se levanta para acudir.)*

ADELA.—Deja. Yo iré.

> *(Y sale, con los ojos bajos, por la izquierda del
> foro.* ANITA *vuelve a entrar, mirando a* JUANI-
> TO. *Llega a su lado: le abraza, acaricia y besa
> con piadosa ternura.)*

JUANITO.—No me beses, tía. *(La aparta suavemente.)*
Acabo de soñar un sueño donde alguien estaba muerto ya... Y lo más terrible es que no siento ningún
remordimiento. *(*ANITA *vuelve a besarlo.)* No soy más
que un niño malcriado. Pero ¿por qué soy así?

> *(La mira. Ella también, como si quisiese que él
> continuase su pensamiento.* MAURO *y* ADELA *en-
> tran por la izquierda del foro y* ANITA *se
> aparta, con media sonrisa.)*

MAURO. *(Expansivo, según su sistema.)* —¿Qué tal?
JUANITO. *(Frío.)* —Hola.

(Y sale por la derecha. MAURO *se dirige a*
ANITA.)

MAURO.—¿Qué tal, Anita? (ANITA *va al chaflán y desaparece tras la cortina.)* Vaya, vaya... *(Se frota las
manos.)* ¿Alguna llamada para mí?

ADELA.—Un tal Costa, hace una media hora.

MAURO.—¡Ah! Importante. Era la que esperaba.

ADELA.—Que vayas a verle a eso de las seis.

MAURO. *(Mira a su reloj.)*—Las cinco y media. Casi estoy por irme ahora mismo.

ADELA.—Espera... Vuelvo en cuanto le dé a Juanito la
merienda. *(Cruza hacia la derecha.)*

MAURO. *(Con la cara alegre.)*—¡Santa palabra!

ADELA.—Hoy no he bajado a comprar y no me queda
leche... Temo no poderte ofrecer nada.

MAURO. *(Se le nubla la expresión, pero responde, he-
roico, con un ademán.)*—He merendado ya. *(Sonríe.)*
¿Está tu marido?

ADELA.—Sí.

MAURO. *(Baja la voz.)*—Te traigo una sorpresa.

(ADELA, *que se iba yá, se vuelve; pero lo piensa
mejor.)*

ADELA.—Vuelvo en seguida.

(Sale por la derecha. MAURO *se sienta, cansadamente, en la poltrona y deja la cartera a su
lado. Comienza a oírse la radio de* ANITA.
MAURO *mira hacia el chaflán. Apoya su cabeza
sobre los puños.)*

MAURO. *(Pensativo.)*—Una sola llamada. Y para dormir, los bancos de Recoletos. *(Se adormece. Una pausa. Por el foro entra* JUAN. *Viene nervioso y desconcertado. Al ver a* MAURO, *le invade la ira. De pronto,
arrebata su cartera y la palpa, frenético. La suelta
sobre el sofá y sacude a su cuñado.)* ¿Qué?... ¿Qué
te pasa?...

JUAN. *(Se incorpora.)*—Escucha, Mauro. Te voy a ha-

cer una pregunta, y esta vez no te toleraré que me
mientas. ¿Estamos?

MAURO.—Pero, ¿qué mosca te ha picado?

JUAN.—¿Te has llevado tú dos libros míos?

MAURO. (Se levanta.)—Oye, oye... Estás tú poniéndote
muy impertinente...

JUAN.—Siéntate. (Le tira sobre la poltrona de un ma-
notazo.)

MAURO.—Pero ¿qué es esto?

JUAN. (Con una mirada hacia el pasillo de la derecha.)—
¡Has sido tú! Estaban bajo llave, con la llave puesta,
desde luego. ¡Pero sólo tú eres capaz en esta casa
de darle vuelta a esa llave para ver lo que hay dentro!

MAURO.—No te tolero...

JUAN. (Le aferra un brazo.)—¡Calla, Mauro! ¡Calla porque no respondo de mí! Esos dos libros son muy difíciles de encontrar. ¡Si no los has vendido ya, me los
tienes que devolver en seguida.

MAURO.—Mira, Juan...

JUAN.—Espera: te lo explicaré mejor. (Mira hacia el
pasillo.) Los puntos de vista de ese autor están de
moda... Va a ser muy difícil que en los últimos ejercicios no pongan algún tema que los tenga en cuenta, y el Tribunal querrá verlos, aunque sea discutidos,
en nuestros ejercicios.

MAURO.—¿Y que quieres que le haga yo, si no sé de qué
libros me hablas? Si los has perdido, puedes consultar-
los en una biblioteca.

JUAN. (Refrenando su ira.)—Es que... ¡Bueno, sería largo
de explicar! ¡Tráemelos y no hablemos más!

MAURO.—Yo no los tengo.

JUAN. (Mordiendo las palabras.)—Tráemelos, Mauro, y
que esto quede entre nosotros. Te callas y yo también.
Vienes cuando quieras y por el tiempo que quieras, pero me devuelves los libros.

(La radio deja de sonar.)

MAURO. (Se levanta y pasea.)—¡Y dale! Siempre tengo
que ser yo. Los puede haber cogido tu hijo...

JUAN. *(Lo mira, asustado.)* —No.

MAURO. —Pero ¿de qué libros se trata?

JUAN. *(Suspira.)* —Estoy cansado... de ti. *(Cruza hacia el foro.)*

MAURO. —Vamos, hombre... Déjalo estar. Ya verás como aparecen donde menos te lo esperes. En el cuarto de la pobre Anita, a lo mejor. O aquí mismo... Ahí encima *(por la mesa)* hay dos. A lo mejor son esos.

> *(Lo ha dicho, con perfecta trivialidad. JUAN sonríe sin ganas y echa una ojeada a la mesa. La apariencia de los libros le intriga y va a verlos. Se queda estupefacto. Al ver su cara, MAURO se acerca para verlos también. Se miran. JUANITO entra por la derecha y se detiene al ver la escena. Su padre deja los libros. JUANITO se decide, va a la mesa, toma los libros y se vuelve.)*

JUAN. —¿Dónde te llevas esos libros?

JUANITO. —A mi cuarto. Son míos.

JUAN. —¿Tuyos? *(MAURO va a sentarse, observándolos, al sofá.)*

JUANITO. —Siento que los hayas visto, pero no estoy dispuesto a mentirte. Los he comprado hoy y compraré cuantos se publiquen del mismo autor. Si te molesta, procuraré que no los veas. Pero no puedo estar pendiente de tus manías.

JUAN. *(Lento.)* —No son manías. *(ADELA entra por la derecha y se detiene.)* Ese autor es un botarate y un arribista.

JUANITO. *(Palidece.)* —Sabes perfectamente que ha subido a pulso y sin ninguna ayuda.

JUAN. —¡No seas niño! Los que no tienen ayuda se quedan hoy atrás, valgan lo que valgan; o salen adelante tardíamente. Esas carreras meteóricas son siempre sospechosas.

JUANITO. —Sabes perfectamente que Ferrer Díaz vale mucho más que tú.

JUAN. *(Va hacia él.)* —¡Bribón!...

ADELA. *(Se interpone.)* —¡Juan!

MAURO. *(Se levanta.)*—Vamos, un poco de calma... Es
que Juan está nervioso. Ha extraviado unos libros, ahora se encuentra estos otros... *(JUAN va hacia el balcón respirando agitadamente.)* Ea. Aquí no ha pasado
nada.

JUAN. *(Sin volverse.)*—No te metas tú.

MAURO.—Encima que lo hago por ayudarte... Adela:
¿tienes tú algún libro de tu marido?

ADELA.—Tengo el segundo tomo de Galdós. ¿Es ése?

JUAN.—No.

MAURO.—Quizá Juanito...

JUANITO.—Yo no he cogido ningún libro.

> *(Y sale, con los dos suyos, por la derecha.)*

MAURO.—Ya verás como aparecen. *(Se sienta en el sofá. JUAN mira a ambos, suspicaz. Luego va al foro,
desde donde se vuelve a mirarlos, desconcertado. Sale
por la derecha del foro. ADELA suspira y mira a MAU-
RO con ojos acusadores.)* Estaba hecho una fiera, y
como la tiene tomada conmigo... Me ha debido mirar
la cartera, porque no está donde la dejé. Cuando me
dí cuenta, temblé... por la sorpresa que te traía. *(ADE-
LA se acerca interesada. MAURO recoge su cartera.)* Es
una revista extranjera. Vi el número y lo compré para tí. *(Lo saca, sonríe, lo abre y se lo enseña a ADE-
LA. Esta se inmuta, mira a todos lados y va a sentarse con ella en la mano a la poltrona. La contem-
plación de la revista le afecta visiblemente: quizá esté a punto de llorar.)* Supuse que te gustaría.

ADELA.—Calla.

> *(Escucha. Súbitamente, dobla la revista, se le-
> vanta y, buscando donde esconderla, la enca-
> ja sobre los libros de la estantería. JUAN
> reaparece en el foro.)*

JUAN.—Hasta luego.

ADELA.—¿No estudias hoy?

JUAN.—No estoy de humor.

> *(JUANITO entra por la derecha, con un libro, y
> besa a su madre.)*

JUANITO.—Hasta luego, mamá. Adiós, tío.

MAURO.—Adiós, muchacho.

JUANITO. *(Al ver a su padre, se detiene.* JUAN *lo mira con ternura mal disfrazada.)*—Te... felicito por haber pasado el segundo ejercicio.

JUAN.—Gracias. *(Breve pausa.)* Yo también salgo, ¿vienes?

JUANITO.—Es que..., ahora recuerdo que me he dejado olvidadas las llaves.

JUAN. *(Seco.)*—Está bien. Adiós.

ADELA.—Adiós.

(JUAN sale por la izquierda del foro.)

JUANITO.—¿Cómo se me pudo olvidar?

ADELA.—¿Las llaves?

(Se oye el golpe lejano de la puerta.)

JUANITO.—No. El llevarme de aquí los libros de Ferrer.

ADELA. *(Baja la cabeza.)*—A los dos se nos olvidó.

JUANITO. *(Deja de mirarla.)*—Adiós. *(Va hacia el foro.)*

ADELA.—¿No tenías que volver a tu cuarto?

JUANITO.—No era verdad. *(Sale.)*

ADELA.—Espera... Te acompaño.

> *(Y sale tras él.* MAURO *se levanta y da unos paseillos. Tararea. Se acerca a la estantería, ojea los libros, saca uno, piensa. Con un gruñido y un encogimiento de hombros, que parecen denotar un sentimiento de revancha por lo que él llamaría su dignidad ofendida, toma su cartera y tras una mirada al foro, mete dentro el libro. El portazo se oye entre tanto.* ADELA *vuelve.)*

MAURO.—También yo me voy. Es ya la hora de mi cita.

ADELA.—Le he estado dando vueltas a algo que me sugeriste... y creo que sí, que deberíamos hacerlo... ¿Vas a ver pronto a Carlos Ferrer?

MAURO. *(Muy atento.)*—Puedo buscarle en el café, si quieres.

ADELA.—Entonces... Como cosa tuya, naturalmente...

MAURO.—¿Le pido que recomiende a Juan?

ADELA.—No podemos perder ninguna posibilidad de que gane la oposición. ¿No te parece?

MAURO.—Eso mismo te decía yo... Bien. No te preocupes; se hará.

ADELA.—¿Ves? Ya estoy más alegre. Me consumía no poder ayudarle de algún modo...

MAURO. *(Va hacia el foro, seguido de* ADELA.*)*—Tú haces mucho por todos, Adelita... A propósito: si no te importa, te traeré mañana un par de camisas para que me las des a lavar.

ADELA.—Pues claro.

MAURO.—Están ya un poco pasaditas, ¿sabes? Pero aún tienen que durar...

> *(Han salido los dos y se pierden sus voces. Una pausa. La cortina del chaflán se levanta y entra* ANITA. *Mira a todos lados: busca algo. Al fin, se fija en la estantería y, con una mirada furtiva al foro, saca de ella la revista extranjera. Se recuesta en la poltrona y la hojea. Pronto da con lo que quiere.* ADELA *reaparece sin el menor ruido: se comprende que vino de puntillas. Se recuesta en la entrada y mira a su hermana.* ANITA *nota algo y levanta la cabeza. Tira la revista sobre la poltrona, se incorpora y se dirige a su cuarto.* ADELA *corre a impedirlo.)*

ADELA.—¡No te vayas! *(La toma de un brazo.* ANITA *se deja conducir, pasiva, hacia la mesa, donde se sienta.)* Tenemos que hablar, aunque nada no quieras. Esa obstinación tuya no conduce a nada y yo... ya no puedo resistirla. ¿Qué necesidad tienes de convertirte en mi espía, ni de ir de un lado para otro haciéndolo todo a escondidas? *(Se miran. Dulce.)* Habías escuchado y te interesaba la revista, ¿verdad? *(*ANITA *desvía la mirada.)* No hay ningún mal en ello y podemos verla juntas. *(*ANITA *la mira, muy turbada.* ADELA *va a recoger la revista y vuelve con ella. La abre sobre la* mesa.) Carlos Ferrer Díaz. (Suspira.) Ahora tiene el cabello gris. Pero quizá está más atractivo todavía, ¿verdad?... (Se sienta.) Dos planas para él solo: se ha convertido en una figura internacional. No se ha casado. (ANITA baja la cabeza.) Pero ha volado, mientras nosotras envejecemos aquí oscuramente... Yo sé que tú también le quieres: que todavía le quieres, hermana. (ANITA, descompuesta, intenta levantarse. ADELA se lo impide.) ¡Quieta! Nadie nos escucha. (ANITA, muy afectada, desvía la vista.) Bien podemos tocar por primera vez las viejas espinas y hasta probar arrancarlas juntas. Estamos las dos tan necesitadas de paz... (Le pasa, cariñosa, un brazo por el hombro.) Para conseguirla, yo te ofrezco mi sinceridad. (ANITA la mira, triste.) ¿No lo crees? (Le toma las manos.) Escucha, Anita. Reconozco que me porté mal contigo. (Una pausa. ANITA la mira muy fijo.) Cuando conocimos a Carlos y a Juan, las dos advertimos que Carlos se interesaba por ti. Nadie lo supo, porque él era tan reservado como tú, pero tú y yo, sí... Tú y yo, sí. Yo ví cómo te ibas ilusionando en secreto, día a día. Era tu oportunidad... Habías tenido que hacer prematuramente de madre conmigo desde que la nuestra murió, y de pronto, te sentías mujer por primera vez... ¡Y con qué hondura, con qué ansia tan recatada y tan ardiente a un tiempo...! (ANITA baja la cabeza. ADELA abandona sus manos. Transición.) Pero la hermana más atractiva, la hermana más loca, se metió por enmedio. ¿Cómo iba a resistir Carlos? Sin duda pensó que se había equivocado: entonces era un muchacho y no era difícil hacerle perder la cabeza a fuerza de insinuaciones y coqueteos. Y fuimos novios. Y tú callaste, como tenías por costumbre. Callaste cada vez más..., hasta caer en tu mutismo de años. (Breve pausa. Sin mirarla, recuerda.) Pero a Ferrer no se le podía hacer perder la cabeza indefinidamente. Debió de notar que yo no lo quería. O acaso pensó que yo no era lo bastante sensata para servir de compañía a un hombre de estudios.

Y, poco a poco..., se fué distanciando... Y un día no volvió. Y las dos lo perdimos... (ANITA *rompe a llorar.* ADELA *se levanta, conmovida, y la rodea con sus brazos, besándola en los cabellos.*) Gracias por tus lágrimas, hermana. Las lágrimas son ya una respuesta... ¿Lo ves? Nos acercan. (*Con los ojos húmedos.*) Si podemos llorar juntas, es que podemos vivir juntas. ¡Por ti y no sólo por mí, Anita! ¡Por ti te pido que rompas tu silencio, que revivas! ¡Aquella mala acción mía no puede haberte trastornado irremediablemente, tus lágrimas me lo demuestran! (ANITA *se enjuga las lágrimas.*) Mira las mías... (ANITA *la mira, turbada.*) ¿Me perdonas?... ¡No quieras hacerme creer que te es imposible salir de ese estado! ¡Abandona tu juego y será la salvación para las dos!... ¿Me perdonas? (*Se miran. Parece que* ANITA *va a hablar. Pero, al fin, desvía los ojos hacia la revista y, con un ademán melancólico, la cierra, dejando, con aire triste y ausente, las manos apoyadas sobre ella. La expresión de* ADELA *se endurece. Da unos pasos hacia la derecha y se vuelve.*) Prefieres continuar ese juego que me destroza. (ANITA *la mira.*) ¡Sí, que me destroza! No me importa decírtelo. Si es eso lo que persigues, puedes estar satisfecha. (ANITA *baja los ojos.*) Te siento constantemente a mis espaldas. Sé que tus oídos me espían desde ahí (*por el chaflán*) a todas horas. Por las noches me desvelo pensando que acaso tú tampoco duermes y que, desde tu cama, me juzgas en silencio... A veces imagino que te acercas por el pasillo de puntillas y que, pegada a mi puerta, compruebas que tampoco descanso... Y no sé con seguridad lo que pretendes..., como no sea que dentro de ti aliente un odio inmenso..., implacable. (ANITA *suspira.* ADELA *se enardece.*) ¡Pero si es así, no eres justa conmigo! (*Llega a su lado.* ANITA *la mira furtivamente.*) Lo que te hice fué indigno, sí. (*Se le quiebra la voz.*) Y me pesa, y te vuelvo a pedir perdón. (*Dura.*) Pero había motivos. (ANITA *la mira con triste asombro.*) ¡Sabes de sobra que los había! (*Pasea, agitada.*) No eras nada agradable con tus aires de amita de casa, ni con la autoridad que papá delegó en ti... Reconócelo. (ANITA *la mira, conmovida.*) ¡No pongas esos ojos de mártir! Ya entonces los ponías y yo estaba harta de ellos. Porque a mí no me engañabas: esa era tu comedia. Cuidaste de mí y me sacaste adelante. (*Seca.*) Te doy las gracias. Pero lo hiciste porque te encantaba jugar a la madrecita joven; porque vivías feliz siendo la preferida de papá y pudiendo disponer a tu antojo de la casa y de la pequeña... (*La mira.*) ¿Que no? ¿Has dicho que no? (*Sardónica.*) ¡Qué vas a decirlo!... No podrías. (*Pasea.* ANITA *no se mueve; aguanta, con los ojos muy abiertos.*) Papá sólo veía por tus ojos. Le tenías embobado, tú que eras la más torpe... ¡y la más fea también!... Pero tu cara le recordaba a la de mamá... (*Calla, absorta en su doloroso recuerdo, mirando a los retratos.*) Yo no quería ninguna segunda madre, y menos que lo fueses tú. ¿Entiendes? Me ofendías cuando hablabas con papá de igual a igual, muy seriecita, sobre la casa y la niña, como si fueses su mujer. (*Ríe.*) ¡Su mujer! (*Ademán de* ANITA *de hablar.* ADELA *se para.*) ¿Qué quieres decir? (*Pausa.* ANITA *desvía la vista.*) Era ridículo... y odioso. (*Se acerca.*) ¡Y por eso, cuando pasaron los años y llegó Carlos, y yo vi con qué facilidad te disponías a abandonar tu disfraz de mamá falsificada para convertirte en mujer, no quise tolerártelo! ¡La mujer era yo! ¡La más bonita era yo! ¡Ese era mi papel y no el tuyo! ¿No habías disfrutado siendo una madrecita oscura y resignada a los cuidados del hogar? ¡Pues te condené a que siguieras siéndolo! (*Se separa, agitada.*) Ya sé que hice mal. (*Vuelve.*) Pero alguna razón tenía, ¿no? (*La sacude con brusquedad.*) ¡Vamos, defiéndete! (ANITA *la mira, sobresaltada y angustiada.*) ¡O acúsame, pero habla! (*La deja, defraudada, y va á sentarse al sofá. Con el cuerpo encorvado, habla cansadamente.*) A veces me pregunto por qué quiero que me contestes. Todos los días pienso que sería mejor no hacerte caso... y algo que no puedo romper me sujeta a ti. *(Pausa. Quizá* ANITA *sonríe levísimamente. Pero* ADELA *no la mira ahora y continúa, agotada.)* Y me pregunto por qué no he huído de ti, y de Juan, y de todo... *(Sonríe sin ganas.)* Hambrienta de vida y de felicidad, me he marchitado aquí, soñando melancólicamente con un amor secreto y vergonzoso que ya no podrá cumplirse... y que es, sin embargo, la única belleza de mi pobre vida. Es risible: le he querido después de perderlo. Le dije, despechada: «Fracasarás». Y, despechada, me casé con Juan, dispuesta a hacerle triunfar para que Carlos viese la compañera que había perdido... *(Suspira.)* Y él ha triunfado, y Juan ha fracasado, y yo con él... Y no me he ido. *(Pausa.)* ¿Por qué? Por el hijo, sin duda. Por ese hijo que tú y yo adoramos porque sabemos que... se parece un poco a Carlos, aunque no sea suyo. *(La mira. Se levanta y va a su lado para hablarle en tono humildísimo.)* Aunque sólo sea por ese hijo. Por ese niño para el que también has hecho de madre...., (ANITA *le envía una lenta y severa mirada. A* ADELA *se le quiebra la voz.)* dime una palabra, una sola palabra de perdón... *(Le toma la mano.)* ¿No? ¿Es que no te lo he confesado todo, no lo he reconocido todo?... *(Ante la severa mirada de* ANITA.) ¿Pues qué puedo decirte aún?... Ayúdame tú... *(Se deja caer sobre una silla, con los ojos arrasados.)* Yo ya no veo más... Yo estoy ciega...

TELON

SEGUNDA PARTE

CUADRO I

Encendida la luz central. Tras el balcón, cerrado, la negrura de la noche.

(ANITA, *en la poltrona, cose en su jersey, ya casi terminado.* ADELA, *junto a la rinconera, toma una tableta de un tubo y se sirve agua.)*

ADELA.—Los nervios no me quieren dejar en paz esta noche. *(Bebe.)* Lo que no comprendo es tu aparente tranquilidad. (ANITA *la mira con un leve gesto de sorpresa; luego, baja los ojos y sigue trabajando.)* ¿No te inquieta saber lo que le habrá dicho Ferrer a Juanito? (ANITA *no pestañea, pero sus manos se detienen.* ADELA *guarda el vaso y el tubo.)* Quedó en venir nada más cenar, pero ya tarda... *(Se incorpora.* ANITA *la está mirando con ojos asombrados.)* ¿A qué viene esa cara? *(Avanza.)* No vas a pretender que no lo sabías; tú todo lo escuchas... ¿O no lo sabías? *(La observa, inquisitiva. La mirada de* ANITA *sigue fija en ella.)* Quizá esos ojos quieren decir otra cosa. Que lo sabías, pero que no lo apruebas. ¿Es eso? *(Reacciona y pasea.)* ¡Pero es cosa del chico! ¡No querrás que le prohíba que vaya a visitar a Ferrer!... *(Se vuelve des-*

pacio y encuentra los ojos de ANITA *fijos en ella. Entonces no puede ya retirar los suyos e intenta sonreír
sin ganas.)* ¿Por... por qué no sigues con su jersey?
(Intenta la ironía.) Al menos en eso estamos de
acuerdo. Te concedo que le quieres tanto como yo.
(La mirada de ANITA *es terrible.* ADELA *se inmuta.)*
¿También me he equivocado ahora? ¿Qué tengo que
decir para que me mires de otro modo? *(Timbrazo.)*
¡Qué raro!... Los dos tienen llave. *(Va hacia el foro.*
ANITA *se levanta con su labor y se encamina al chaflán.* ADELA *se vuelve al advertirlo.)* ¿Por qué no te
quedas?

> *(Pero* ANITA *entra en su cuarto, ajustando la
> cortina cuidadosamente y cerrando la puerta
> con un golpe perfectamente audible.* ADELA
> *suspira y sale por la izquierda del foro, para
> volver poco después con* MAURO.*)*

MAURO.—Todavía refresca por las noches... *(Se restriega
las manos.)* Si me das una copita de tu excelente coñac, te lo agradeceré.

> *(Se sienta junto a la mesa y deja su cartera,
> bajándose el cuello de la americana, que traía
> subido.)*

ADELA.—¿Hablaste o no hablaste con él?
MAURO.—Pues claro. Al fin apareció por el café, ¿sabes?
ADELA.—¿Cuándo?
MAURO.—Hace un ratito.
ADELA.—¡Pero, Mauro, mañana es el último ejercicio!
MAURO.—¡Calma! Hay tiempo.
ADELA.—Debiste llamarlo.

> *(Va a la rinconera para servirle la copa.)*

MAURO.—Ya te dije que era mejor darle a la cosa un
aire casual. *(Ríe.)* ¡Y ya lo creo que lo era! Yo, al
café todas las noches, y él sin aparecer. Pero hoy se
dejó ver al fin. Y como sabía tu impaciencia, pues
me he dicho: «Aunque sea tarde, ahora mismo voy
y se lo cuento». Todo ha salido a pedir de boca, ¿sa-

bes? Ha estado gentilísimo: es un verdadero caballero.

ADELA. *(Con la copa en la mano y la licorera destapa-da.)*—No sigas. *(Mira al chaflán.* MAURO *la mira y vuelve la vista a su vez. Comienza a oírse, muy suave, la radio de* ANITA. ADELA *emite un irónico gruñido de comentario y sirve la copa.)* ¿Le hablarías aparte?

(Deja la licorera sobre la mesa.)

MAURO.—Claro, mujer. *(Calienta la copa con las manos.)* Sabía ya que mañana es el último día. (ADELA *se sienta a la mesa.)* Y, ¿sabes lo que hizo?

ADELA.—¿El qué?

MAURO.—Se fué al teléfono para hablar con el presidente del Tribunal. Yo le acompañaba, se empeñó él. Bueno: le esbozó el asunto con frases muy cordiales para tu marido. Pero no se limitó a eso. ¡Quiá! Le dijo que le esperase levantado, que quería explicárselo a fondo personalmente. Y ahora debe de estar en su casa. *(Be-be.)*

ADELA. *(Conmovida.)*—Es bueno...

MAURO. *(Baja la voz.)*—También le hablé de ti, claro. No voy a repetirte las cosas que dije... Pero él las escuchaba con enorme interés. Eso ero evidente.

ADELA. *(Emocionada.)*—Y... ¿dijo algo?

MAURO.—No. Me oyó en completo silencio y al final... suspiró.

ADELA.—Es delicado...

MAURO. *(Enfático.)*—La delicadeza personificada. *(Bebe y se estremece.)* La verdad es que no logro quitarme el frío... *(Se sirve otra copa.)* Y el caso es que estoy en un apuro momentáneo con mi pensión y me resulta difícil aparecer por allí... Si pudiera quedarme a dormir en el sofá esta noche... Me vendría al pelo.

ADELA. *(Disgustada.)*—Juan vendrá ahora a estudiar y velará toda la noche seguramente.

MAURO.—Pues no sé cómo arreglármelas, porque... *(Se encoge de hombros.)*

ADELA.—Veré si puedo darte unas pesetas... Pero que-

darte, no va a poder ser. *(Se levanta y cruza hacia la derecha.)*
MAURO.—Bueno, tal vez me pueda remediar con un par de duros. *(Se levanta.)*
ADELA.—Calla. La puerta.
MAURO.—No he oído nada.
ADELA.—Acaba de sonar.

> *(Aparece por el foro* JUAN, *que tuerce el gesto al ver a* MAURO.)

MAURO.—¡Caramba, Juan! ¡Me alegro mucho de que la oposición vaya viento en popa! Mañana terminas, ¿no?
JUAN.—Sí.
MAURO. *(Ríe.)*—¡Te predije suerte, acuérdate! Bueno, yo me marchaba ya, ¿sabes? Sólo vine un momento a enterarme de cómo iba lo tuyo.
JUAN.—Gracias. *(A* ADELA.) ¿Y Juanito?
ADELA.—Se ha retrasado un poco. Cenaba con unos amigos, pero no creo que tarde.
JUAN.—Bien. Me voy al despacho. Prepárame el termo y acuéstate si quieres. *(Va hacia el foro.)*
MAURO.—Adiós, hombre. ¡Y mil enhorabuenas anticipadas!

> *(*JUAN *sale sin contestar.)*

ADELA.—Ya ves cómo está contigo. Voy por el dinero.

> *(Inicia la marcha.)*

MAURO.—¿Hubo alguna llamada para mí?
ADELA.—Ninguna. *(Sale por la primera derecha.)*
MAURO. *(Triste.)*—Ninguna. Y yo esta noche, a colarme en el ensayo del Español y a dormir hasta que me echen. *(Va a sentarse al sofá. Escucha la melodía de la radio. Emite un sonoro y feroz bostezo que a él mismo le asombra y lo comenta:)* ¡Qué barbaridad! ¡Qué bostezo!

> *(Automáticamente, se tiende en el sofá con un suspiro de satisfacción. Una pausa. Por el foro, en bata de casa y zapatillas, vuelve* JUAN.

Se sorprende al ver a MAURO, *y se cerciora de
que duerme. Luego escucha y mira a todos lados, y cruza hacia la derecha, sigiloso, saliendo
rápidamente. Una pausa. La radio calla, y*
MAURO, *que echa de menos entre sueños su so-
nido, gruñe y se remueve. Momentos después,
vuelve por la derecha* ADELA. *Menea la cabeza,
contrariada al verlo en el sofá, y con sacudi-
das que van aumentando de intensidad, trata
de despertarlo.)*

ADELA.—Mauro... Mauro.... Mauro, levántate, que aquí no
te puedes quedar... (MAURO *se rebulle y murmura algo,
pero decide seguir durmiendo.)* Mauro, no te vas a salir
con la tuya... (JUANITO *entra por el foro con los dos
libros de Ferrer bajo el brazo.* ADELA *se incorpora.)* Ya
tardabas, hijo...

JUANITO.—Me retrasé un poco con los amigos.

ADELA. *(Va a su lado y baja la voz.)*—¿Lo visitaste?

JUANITO.—Sí, claro.

ADELA.—¡Cuéntame!

JUANITO.—Es que... quizá no es el momento. *(Por* MAU-
RO.)

ADELA. *(Mira a su hermano.)*—Tienes razón. Luego hablaremos.

JUANITO. *(Sin mirarla.)* Bueno. *(Va a cruzar.)*

ADELA.—Espera... Dime al menos... qué te ha parecido.

JUANITO *(Frío.)*—Es encantador, desde luego. Estuvimos
con él hasta las nueve y bajó con nosotros a la calle
porque tenía que irse. (ADELA *dedica una ojeada a*
MAURO.) Bueno. Voy para mi cuarto.

(Sigue su camino. ADELA *lo mira, perpleja.)*

ADELA.—¡Hijo! (JUANITO *se detiene de nuevo, sin mirarla.)* ¿No... te habrá defraudado?

JUANITO.—¡No, no!

ADELA.—Entonces... ¿Te pasa algo conmigo?

JUANITO. *(Seco.)*—Nada, mamá, ¿qué quieres que me pa-
se?

(Va a salir.)

ADELA.—¡Espera! *(Le toma los libros, que él cede de mala gana.)* Déjame que vea lo que te ha puesto. Luego te los llevo.

JUANITO.—¿Ha vuelto mi padre?

ADELA.—Está estudiando en su despacho. *(El va a salir.)* ¿Qué te ocurre? Llevas unos días muy raro conmigo...

JUANITO.—¡No sé, mamá! Déjame. *(Y sale. ADELA se queda mirando hacia donde ha salido, turbada. Después mira a los libros y vuelve sus ojos al pasillo. Despacio, se aparta hacia la mesa. Reacciona, mira hacia el chaflán, observa el sueño de su hermano, espía hacia el foro, abre los libros y lee las dedicatorias. Se abstrae, mirando melancólicamente al vacío, y deja, lenta, los libros sobre la mesa. Voces confusas la distraen y la obligan a mirar hacia la derecha, por la que entran, JUAN, rojo de vergüenza, y su hijo tras de él.)* Dime lo que buscabas... Yo te puedo ayudar.

JUAN.—Te digo que no necesito nada.

JUANITO.—Pero ¿qué buscabas?

JUAN.—Simple curiosidad. Mañana es el último ejercicio y tengo que apretar. Pensé que tal vez tú tendrías algo entre tus revistas... Pero, en realidad, no me hace falta. *(Un silencio. Eleva la voz, dirigiéndose a ADELA.)* ¡Lo que sí me está ya haciendo falta es ese termo!

ADELA.—Ahora mismo lo preparo.

> *(Sale por la derecha, mirándolos. JUAN se encamina al foro.)*

JUANITO.—Padre.

JUAN.—¿Qué?

JUANITO.—Esta mañana me di una vuelta por la Facultad... *(Su padre lo mira con asombro.)* Se hablaba de la oposición, pero no parece estar muy claro todavía quién podría ganarla... ¿Crees tú que el Tribunal tendrá ya formado su criterio?

JUAN.—De los tres que quedamos, el más peligroso es Romero. Pero vamos muy iguales... Esta vez no creo

que el Tribunal haya decidido todavía. Mañana sí se
sabrá, desde luego.

JUANITO.— *(Carraspea.)*—Le eché una ojeada al pro-
grama de temas del Tribunal... *(Se interrumpe.)*

JUAN.—¿Y qué?

JUANITO. *(Después de un momento, va a la mesa y toma los dos libros de Ferrer. Los mira y mira a su padre, que desvía los ojos.)*—Quizá los dos últimos libros
de Ferrer podrían serte útiles esta noche... Parece que
traen bastantes datos nuevos relacionados con varios
de esos temas.

> *(Un silencio.* JUAN *mira a su hijo, que ahora no
> lo mira a él, con asombrada ternura. Pero
> sus ojos no tardan en apagarse.)*

JUAN. *(Frío.)*—Nunca tuve fe en ese autor.

> *(*JUANITO *mira a su padre, que baja la cabeza.
> Con disimulo, mira a su alrededor. Luego va
> a la estantería. Su padre le observa a hurta-
> dillas.* JUANITO *deja ostensiblemente los libros
> sobre ella, mientras mira a su padre, que des-
> vía la vista y sale por la derecha del foro.*
> JUANITO, *de pronto, sacude sin contemplacio-
> nes a* MAURO.*)*

MAURO.—Que no me da la gana... Que no...

JUANITO. *(Le incorpora a la fuerza.)*—¡Vamos, despierta!

MAURO.—No trae cuenta dormir aquí. *(Se frota los ojos.)*
Siempre hay alguien a quien le molesta... *(Lo mira.)*
¿Qué mosca te ha picado, monicaco? ¿Es esta la ma-
nera de tratar a tu tío?

JUANITO.—¿Qué libros eran los que le quitaste a mi padre?

MAURO.—¿Tú también? ¡No! ¡Es demasiado!

JUANITO.—¡Contesta!

MAURO.—¿Y a qué viene ese repentino interés por las
cosas de tu padre?

JUANITO. *(Colérico.)*—Eres un ladrón.

MAURO. *(Se levanta y se crece como un gallo.)* —¿Cómo? ¿Lecciones de moral a tu tío?

JUANITO. *(Se crece también.)* —¡Un ladrón despreciable!

MAURO. —¿Cómo te atreves?... *(Va a abofetearle, pero JUANITO le sujeta el brazo. MAURO se sobrepone y lo mira con expresión más tranquila. Sacude su brazo.)* Suelta, idiota. *(Se suelta y va hacia la poltrona, en cuyo brazo anterior se recuesta, metiéndose las manos en los bolsillos.)* El mismo temperamento de tu madre.

JUANITO. *(Da un paso hacia él.)* —¡No la nombres!

MAURO. —¡También es mi hermana! Y tú eres como ella; impulsivo, ardoroso y... petulante.

JUANITO. *(Va a la mesa y se apoya, arrepentido de su cólera, sobre una silla.)* —Vete de aquí.

MAURO. —No antes de que me oigas, bribón. *(Sonríe.)* Me has sacado de los brazos de Morfeo, y eso me lo tienes que pagar.

JUANITO. —Ahórrame tus retóricas y vete.

MAURO. *(Sonríe.)* —Creo que me quedaba algún cigarrillo... *(Se registra y saca un pitillo arrugado. Vuelve a registrarse.)* ¿Mis retóricas, eh?... *(Carraspea.)* Lo siento, sobrino, pero me vas a tener que dar lumbre. Ya no tengo ni para cerillas. *(Se acerca a él y le presenta el cigarrillo. JUANITO saca un encendedor y se lo enciende.)* Bonito encendedor. (JUANITO se lo mete bruscamente en el bolsillo. MAURO ríe.) Guarda, guarda. No vaya a quitártelo... algún ladrón. *(Vuelve a la poltrona y exhala una bocanada de humo.)* Pues sí. Es lo único que le va quedando a tu tío: retórica... y miseria. *(Se sienta.)* Un espectáculo muy deprimente, sobre todo para vosotros, los de las nuevas generaciones. Lo comprendo. Os reís de la retórica, de la metafísica y de otras cosas a las que llamáis pamplinas. Y la miseria os parece la peor de las desgracias. Por eso, cuando os encontráis con un viejo retórico y miserable, torcéis los morritos.

JUANITO. —Es el asco ante un pasado estéril.

MAURO. *(Asiente.)* —Ante una serie de cosas que os han

defraudado; ante los que os debimos preparar un mundo mejor, y no supimos o no quisimos hacerlo. ¿No?

JUANITO.—Justo. (Saca una cajetilla y enciende un cigarrillo. Se sienta.)

MAURO.—Quiá. (JUANITO le mira, airado.) Te engañas, como me engañé yo. Es la eterna historia, y tus hijos te soltarán en las narices los mismos reproches. (Se levanta y se acerca.)

JUANITO.—Te equivocas si crees que las cosas van a ser siempre iguales.

MAURO.—¿Crees que me disgustaría que vosotros lo hicieséis mejor? ¡Ojalá! Pero no estés tan seguro. A tu edad, uno se cree siempre muy moral. Pero vosotros...

JUANITO.—¿Nosotros, qué?

MAURO.—No sé. Me parece que estáis demasiado preocupados por la eficacia. (Va hacia el balcón.)

JUANITO. (Irónico.)—¿Es que eso es malo?

MAURO.—Quizá no. Pero cuando, después de haber arreglado el mundo en vuestras tertulias, os veo volver los ojos encandilados ante un coche caro, sospecho que lo habéis incluido en vuestro proyecto de vida, como la finca en el campo, la mujer lujosa o... para empezar..., la cajetilla de rubio.

> (Se recuesta sobre el respaldo de una silla, señalando el cigarro de JUANITO.)

JUANITO. (Mira su cigarrillo. Fuma.)—¿Y por qué no? Todo eso, pero para todos.

MAURO.—No seas ingenuo. Si se piensa demasiado en todo eso, es difícil no terminar por ensuciarse para conseguirlo.

JUANITO. (Con sarcasmo.)—¿Lo sabes por experiencia?

MAURO. (Suspira y se incorpora.)—Tu tío es un sinvergüenza y un cínico. Tienes razón. Pero en pequeña escala. Yo pertenezco a una especie casi extinguida. Soy un pícaro, un buscavidas. Pero sólo para ir tirando. Quizá porque, en el fondo, me interesa menos el dinero que la vida en sí.. Y ésta me va dejando ya de interesar... *(Breve pausa.* JUANITO *lo mira y aplasta su cigarrillo en el cenicero.)* También yo dejaré de fumar; me asquea este cigarrillo. Ya ves qué drama: he perdido el gusto del tabaco y de la vida, pero no sé pasarme sin ninguna de las dos cosas. *(Aplasta su cigarrillo en el cenicero. Ríe.)* Pero esto es casi metafísica y no quiero repugnarte más... *(Pasea. Lo mira.)* Estás pensando que sigues teniendo razón. Que si te molesta saludarme o darme la mano es porque la puedes encontrar sucia de mil pequeñas bajezas... Pero lo que en realidad te repele es mi miseria; la estampa del fracaso. Te molesta tener un tío que no es presentable. Es una vergüenza ante los amigos. Pero todos los días saludas y conoces a gente mucho más desalmadas... que tuvieron suerte.

JUANITO.—Tampoco quiero nada con esos.

MAURO. *(Se enfrenta con él.)*—Pero les das la mano. *(*JUANITO *baja la cabeza.* MAURO *va a sentarse a su lado.)* En el fondo comienzas a pactar. Y tu tío te sirve para probarte a tí mismo la coartada. *(Suspira.)* No deja de ser curioso que a mí, un desaprensivo, me haya dado el naipe por hablarte así... Pero es que yo también soñé, sobrino. Aunque ahora sólo me quede... la retórica. Y la verdad es que le saco poco partido... Un día, lo sé, me llevarán a la cárcel por la estafa de un puñado de duros... Y tú seguirás saludando a gentes que han robado millones. *(Un silencio.)* A veces pienso que yo no he robado tanto... porque, en el fondo, no quería robar tanto. *(Una larga pausa.)*

JUANITO. *(Se levanta y, sin mirarlo, se obliga a sí mismo a decir.)*—Te pido perdón.

MAURO. *(Grave.)*—Está bien eso, sobrino. Quizá valéis más de lo que yo pensaba... Tú estás a tiempo todavía de salvarte de muchas cosas. ¡Sálvate!

JUANITO.—Creo que me estoy salvando ya.

(Resuelto, va a cruzar.)

MAURO.—Olvidas la pregunta que me hiciste.

JUANITO. *(Se detiene.)*—¿Qué pregunta?

MAURO. *(Se levanta y se acerca, grave.)*—Para que mañana no pienses, cuando la recuerdes, que mis palabras sólo fueron retórica destinada a eludirla, te la
voy a contestar. Pero tú me guardarás el secreto,
¿entiendes? Yo ya no estoy para incomodidades super-
fluas... Yo fuí quien se llevó los dos libros de tu padre.

JUANITO. *(Recuerda.)*—¡Ah!...

MAURO. *(Le mira fijamente.)*—Eran los dos últimos libros de Ferrer Díaz. *(Un silencio.)*

JUANITO.—Gracias.

> *(Va a salir y se enfrenta con ADELA, que trae
> un termo y un servicio de café.)*

ADELA.—¿Vas a tu cuarto?

JUANITO.—Sí.

ADELA. *(Le sonríe.)*—Espera... Tenemos que hablar. Ahora mismo le paso esto a tu padre, y vuelvo.

MAURO. *(Recoge su cartera.)*—Tengo que irme ya, Adela.

ADELA. *(Dejando el servicio y el termo sobre la mesa.)*
Te acompaño a la puerta.

> *(Le hace una seña, que él comprende.)*

MAURO.—Adiós, Juanito.

JUANITO.—Adiós, tío.

MAURO. *(Mientras sale con ADELA por el foro.)*—Un gran
chico este Juanito, ¿sabes? Hemos echado un párra-
fillo muy cordial... y promete, ya lo creo...

ADELA.—¿A mí me lo vas a decir?

> *(Se pierden sus voces. JUANITO los ve salir.
> Medita, con aire disgustado. Mira a los libros
> de Ferrer, luego al foro y, con un brusco
> ademán de resolución, sale por la derecha.
> Una pausa, por el foro entra JUAN. Trae pues-
> tas las gafas y escucha. Mira a la estantería;
> luego, al termo. Despacio, se acerca a la es-
> tantería. Va a tomar los libros de Ferrer, pero
> oye algo y retrocede hacia la mesa, donde se
> sienta, y abre su libro, fingiendo tomar no-
> tas. ADELA vuelve.)*

ADELA.—¿Y Juanito?

JUAN.—No sé.

ADELA.—Estaba aquí ahora mismo.

JUAN.—Se habrá ido a acostar.

ADELA.—Es pronto para él. Y quedó en que me esperaría.

JUAN.—Habrá cambiado de parecer.

ADELA.—¿Te ha dicho a ti algo?

JUAN.—Si yo no lo he visto.

ADELA. *(Fría.)*—Te habrá oído venir y habrá desaparecido.

JUAN.—Es posible.

ADELA.—¿No ibas a estudiar en tu despacho?

JUAN.—Supongo que puedo venir aquí si quiero, ¿no?

ADELA.—¿Para qué?

JUAN. *(Vacila.)*—Tardaba el termo. *(Se sirve una taza del termo.)*

ADELA.—¿Te lo llevo al despacho?

JUAN.—Ya lo haré yo. Acuéstate, si quieres.

ADELA.—No tengo sueño. *(Pasea. JUAN la mira y mira a la estantería. ADELA levanta un poco la cortina del chaflán.)* Anita tampoco duerme... Tiene la luz encendida.

JUAN.—Si quieres hablar con Juanito, será mejor que vayas a su cuarto. Ya ves que él no vuelve. *(Bebe.)*

ADELA.—¿Es que te vas a estar aquí toda la noche?

JUAN.—Y aunque así fuese, ¿qué?

ADELA.—Está bien. Leeré un poco. *(Se dirige a la estantería.)*

JUAN. *(Rápido.)*—Adela. *(Deja la taza.)*

ADELA.—¿Qué?

JUAN. *(Después de un momento.)*—Ven. *(Ella lo hace.)* Siéntate a mi lado.

ADELA. *(Se sienta.)*—¿Qué quieres?

JUAN. *(Dulce.)*—¿Es que va a empezar la lucha otra vez?

ADELA.—¿Y qué culpa tengo yo?

JUAN.—Has empezado tú.

ADELA.—¿Yo?

JUAN.—Estás tú más nerviosa que yo.

ADELA.—Es natural, en estos días.

JUAN.—No es sólo eso. Estabas ya así antes.

ADELA.—Así, ¿cómo?

JUAN.—Inquieta. (ADELA *mira al chaflán.*) ¿Lo ves? Inquieta... por tu hermana.

ADELA.—Puede estar escuchando.

JUAN.—¿Y qué?

ADELA. *(Baja la voz.)*—Me preocupa. Parece estar peor Nos espía a todos. *(Una pausa.)*

JUAN.—¿Qué te ocurre con ella?

ADELA.—No digas tonterías y vete a estudiar. Estás perdiendo tu tiempo.

JUAN.—Tengo toda la noche. Y aunque hubiese que sacrificar la oposición, si servía para lograr un entendimiento mayor entre nosotros, lo haría sin vacilar. *(Le coge una mano.)* Adela, noto perfectamente que estos días están siendo tremendos para ti. Algo te está creciendo dentro que puede estallar.

ADELA.—Pero si es natural.

JUAN.—No es sólo por la oposición. Quizá es... No sé.

ADELA. *(Quedo.)*—¿El qué?

JUAN.—Tal vez el peso entero de nuestra vida en común, que sientes ahora más que nunca, por razones que... que no alcanzo del todo. *(Breve silencio.)* Aunque sí en parte. *(Ella lo mira.)* Sé bien que no te he dado lo que querías. Pero yo no he dejado de quererte, y si trabajo ahora lo hago también por ti, porque noto que te me escapas, que algo irreparable nos va separando aún más... de lo que ya lo estábamos. *(Pausa.)* Esta puede ser una noche decisiva, Adela. Para estudiar o para hablar; tal vez para las dos cosas. Dejo los libros a un lado todo el tiempo que sea necesario y te pido que te sinceres conmigo. Todo lo que te tortura, todo lo que te está hundiendo en esa sobreexcitación..., todo, lo puedo soportar contigo, si tú quieres. Comprendo que es una oferta tardía, pero es muy sincera. Quizá esta noche logremos lo que no hemos logrado durante años: poner las cartas boca arriba, confiar el uno en el otro; aprender, en defini-

tiva..., a envejecer juntos. *(ADELA se levanta bruscamente y se aleja hacia el foro.)* ¿Te asusta la palabra? Sin embargo, es nuestro destino cercano. Y quizá la mayor sabiduría esté en saber aceptarlo.

ADELA. *(Se vuelve.)*—¿Pero cuál es? ¿Y cómo sabes tú
el tuyo? ¿Es que ese afán de ganar una oposición a
los cincuenta años se armoniza con ese envejecer tranquilo de que hablas? ¿No es también una rebeldía?

JUAN. *(Se levanta despacio.)*—Tal vez. Nacida dentro
de mí por causa tuya.

ADELA. *(Burlona.)*—¿De veras? ¿Es que no habrías hecho la oposición si nos hubiésemos llevado mejor?

JUAN.—La habría hecho como hice otras. Y acaso la
habría ganado hace tiempo. Pero entonces no habría
sido una rebeldía, sino el cumplimiento sereno, con
tu ayuda al lado, de mi propio destino.

ADELA. *(Pausa.)*—¡Vámos! De cualquier modo, la hubieses hecho justificadamente. Por lo visto, soy yo la
única que tiene que reflexionar y rectificar.

JUAN.—Luego es cierto. Luego te molesta que la haga.

ADELA. *(Se detiene, agitada.)*—Te equivocas en eso, como en muchas otras cosas. Y te engañas si crees
que te falta mi ayuda. Sé ayudarte mejor de lo que
tú mismo supones, y quizá pronto te lo probaré.

JUAN.—¿Qué quieres decir?

ADELA.—Nada. *(Una pausa.)*

JUAN.—Vuelve la lucha, el silencio... Todo.

ADELA.—Puede ser. Pero si ha resultado una lucha en
lugar de ese idílico cuadro de paz que me pintabas,
sólo nos queda saber ser generosos en ella.

JUAN. *(Se acerca.)*—Llevo años siéndolo. Y ahora te acabo de invitar a que tú también lo seas, confiándote a
mí. Reflexiona, Adela.

ADELA. *(Después de un momento, más calmada.)*—También yo soy generosa. Pero a mi modo.

JUAN.—¿Qué modo?

ADELA. *(Sonríe.)*—Mañana te lo diré.

JUAN.—¿Si gano?

ADELA.—Aunque no ganes. Pero creo que ganarás. Me siento optimista.

JUAN. (*Resuelto.*)—Yo también. Y ya que no aceptas la confianza que te he brindado, haré todo lo posible esta noche, para ganar mañana.

ADELA. (*Vuelve a la mesa para recoger sus cosas.*)—Seré la primera en alegrarme. Y ahora me voy a ver a Juanito, ya que él no vuelve. (*Le da un afectuoso e irónico golpecito en la espalda, mientras dice con una suave risa.*) A estudiar, maridito...

JUAN.—¿Qué te pasa?

ADELA.—¿A mí? Nada... Ya te lo he dicho. Que me siento optimista.

> *(Cruza y va a salir, pero entonces repara en los libros que hay sobre la estantería y se acerca para verlos mejor. Ante el sobresalto de JUAN los recoge con toda naturalidad.)*

JUAN.—¡Adela!

ADELA. (*Se vuelve.*)—¿Qué?

JUAN. (*Desvía la mirada.*)—Nada. (ADELA *sale por la derecha. JUAN da unos pasos tras ella —tras los libros que se le escapan— y se para, desconcertado. Al fin suspira y se encorva, vencido. Vuelve, lento, a la mesa. Recoge sus cosas. Va a tomar también el termo y la taza, vacila ante ésta y opta por beber lo que queda. Lo hace de pie, con aire triste y desganado. Silenciosa,* ANITA *aparece en el chaflán, con su jersey en las manos, y lo mira. Luego va a sentarse en el extremo del sofá y da las últimas puntadas al jersey. Algo nota él y se vuelve.*) ¡Hola, Anita! ¿Tampoco tú duermes? Parece que estamos todos desvelados esta noche. (*Deja la taza y se acerca.*) ¿Qué tal va tu jersey? (*Ella se lo enseña.*) ¡Si ya está terminado!... Y es bonito. Tienes buenas manos para estas cosas. (*Vuelve a la mesa.*) También yo tengo que irme a trabajar. Mañana es el gran día, Anita. Deséame suerte. (*Se detiene, con las manos sobre su libro, ganado por un repentino cansancio de todo, y dice sin volver-*

se.) El gran día..., o el peor de los días. No sé que
se pueda estar más triste que yo lo estoy ahora, Anita... *(Suspira.)* Pero quizá tú no entiendes. *(Se vuelve.)*
¿O entiendes? *(ANITA se levanta, dejando el jersey
sobre el sofá, y se acerca.)* ¿Quieres algo? *(Silencio.)*
¿Te pasa algo? *(Ella da unos pasos hacia la derecha
y escucha. Intrigado él no la pierde de vista.* ANITA
se vuelve, con los ojos bajos.) Sí. Tú entiendes más
de lo que creemos. Quizá sabes más que todos nosotros...
(Se acerca.) ¿Sabes tú quién me quitó mis libros, Anita? *(Silencio.)* ¿Fué Mauro?... *(Baja la voz.)* ¿O fué
otra persona? *(Ella niega con energía.)* ¿No? Entonces, ¿fué Mauro? *(Ella se mueve, irresoluta.)* ¿No es
eso lo que quieres decirme? *(Leve negativa.)* ¿Pero
quieres decirme algo?... *(Leve afirmación.)* ¡Habla,
mujer! Aunque sólo sea unas pocas palabras. Antes
lo hacías... *(Mirando a la derecha furtivamente,* ANI-
TA *llega a su lado. El la toma por los brazos.)* Quizá
quieres hablarme de ti misma. De ti y de tu hermana,
¿verdad? Algo os ocurre... *(Bajando la cabeza,* ANITA
*se desprende y va a la mesa, donde acaricia los libros
y los papeles de* JUAN.*)* ¿No? ¿Entonces?... *(Se vuelve ella con expresión de simpatía. Le sonríe.)* ¿Estás
deseándome éxito? *(Ella asiente. El se acerca y le
acaricia el cabello.)* Te lo agradezco muy de veras,
Anita... Y ¿por qué lo deseas? *(Baja la voz.)* ¿Crees
tú que ella lo desea? *(ANITA lo mira y desvía los ojos.)*
Di algo, mujer...

> *(ANITA vuelve a mirar hacia la derecha; parece
> que quiere hablar. El espera, fijos los ojos en
> ella.* ADELA *irrumpe por la derecha. Por un
> segundo, los tres se miran en silencio.)*

ADELA. *(Se acerca a su hermana.)* —¡Te he oído hablar!
¿Qué le has dicho?

JUAN. —¡Si no ha dicho nada!

ADELA. *(Sacude a su hermana por los brazos.)* —¡Es a
mí a quien tienes que hablar y no a él!

JUAN. *(Intenta apartarla.)* —¿Qué es esto, Adela? ¡Es mi voz la que has oído!... ¡Adela!

ADELA. *(Al mismo tiempo.)* —¿Qué tenéis todos esta noche? ¡Juanito tampoco quiere hablar, y tú callas conmigo pero vienes a cuchichear con Juan a escondidas! ¡Confabulados!

JUAN. *(Tira de ella.)* —¡Pero, Adela!

ADELA. —¡Todos os confabuláis! ¡Por qué! ¡Por qué!

JUAN. *(Consigue apartarla.)* —¡Vamos, cálmate ya! Te digo que Anita no ha dicho nada.

ADELA. *(Todavía agitada.)* —La he oído hablar.

JUAN. *(Grave.)* —La estás oyendo hablar desde hace tiempo dentro de ti... Tú sabrás por qué. Pero mírala. Ella no dice nada. Eres tú la que debías echar fuera todo lo que te consume. Ya ves que lo necesitas... *(ADELA se aparta un poco.)* Está bien. Todo pasará. Mañana estaremos más contentos o, por lo menos, más tranquilos... Tengamos ahora un poco de paciencia. Y deseemos los tres que todo salga bien..., por el chico. *(ADELA mira, perpleja y angustiada, hacia la derecha. JUAN se acerca y le pasa suavemente un brazo por los hombros.)* En eso los tres estamos de acuerdo. *(ANITA va al sofá y recoge su jersey durante estas palabras. Después llega al lado de JUAN y le toca un brazo.)* ¿Ya está terminado del todo? *(ANITA asiente.)* Llévaselo y le darás una alegría. Aún estará despierto. *(ANITA deniega.)* ¿Por qué no? *(ANITA le toma, suave, una mano y le pone en ella el jersey.)* ¿Cómo? *(ANITA le empuja la mano contra el pecho.)* ¿Es para mí?

ADELA. —¿Para ti?

> *(ANITA la mira y asiente a JUAN. Una pausa.*
> *ADELA se aparta un poco, con disgustado asombro.)*

JUAN. —Es una hermosa manera de desearme suerte, Anita. Gracias. *(Va a la mesa, de donde recoge todo.)*

Acuéstate y descansa, Adela. Te hace falta. Yo me
voy a estudiar. Hasta mañana.

> *(Sale por el foro. ADELA mira fijamente a su
> hermana, que eleva los ojos y le devuelve
> una mirada resuelta, casi desafiante. Inmóvi-
> les, frente a frente, se contemplan.)*

TELON

CUADRO II

La cortina del chaflán, descorrida, y la puerta, abierta.
Cae la tarde.

*(La radio deja oír una suave melodía. Sentada
a la mesa, ANITA lee un libro. A poco, levanta
la cabeza y escucha, melancólica. Va a leer de
nuevo; pero vuelve la cabeza hacia el foro.
Ha oído algo. Por el foro, en traje de calle,
aparece ADELA. ANITA se levanta.)*

ADELA.—No te vayas... Sigue escuchando tu radio desde
aquí y déjame escucharla contigo. *(ANITA vuelve a
sentarse.)* Sienta bien oír esa música, ¿verdad? Tran-
quiliza. *(Va hacia la derecha y se vuelve.)* ¿No ha
vuelto ninguno de los dos? *(Silencio.)* ¿Ni siquiera a
eso quieres contestarme? *(Sale por la derecha. ANITA
se queda espiando su vuelta. Vuelve a poco sin su bol-
so, atusándose el peinado.)* Juanito no está en su cuarto. *(Va al foro, y mira desde allí.)* En el despacho no
hay nadie. Juan no ha vuelto aún de su ejercicio.
*(Cruza hacia el balcón y, al pasar, le pone una mano
en el hombro.)* Estamos solas. *(Abre el balcón. Respira.)* ¡Qué tarde más hermosa! Me siento contenta.
Unicamente, la inquietud; pero pronto pasará. *(Se vuelve.)* Si vieras qué bonito estaba el parque... A partir
de hoy saldré más. Saldremos, Anita. Tú vendrás conmigo. Aquí nos estábamos apagando. *(ANITA simula leer
en su libro. ADELA va a su lado.)* Hoy me sentía llena
de vida y de exaltación. Quise dar un paseo y no me

arrepiento. Presiento que la felicidad no es una palabra, que aún puedo confiar y esperar... *(Se sienta a
la mesa.)* Escucha. Lo vine pensando por el camino.
¿No es maravilloso que por primera vez, desde hace
tantos años, algo, un lazo verdadero, se haya tendido
entre Carlos y... esta casa? (ANITA *levanta la cabeza, sin mirarla, dolida.)* No es nada, pero yo sé que
él piensa ahora en mí, y que sabe que yo, desde aquí,
le recuerdo... *(Transición.)* No me creas egoísta. No
quiero herirte. (ANITA *la mira, triste.)* ¿Lo dudas?
Pues óyeme. Pensé hacer algo en la calle, sola..., pero
te recordé y vine aprisa, para llegar antes que ellos
y poder hacerlo juntas. ¿No adivinas qué? (ANITA *la
mira muy afectada.)* No tiembles... Sólo somos dos po-
bres mujeres que buscan un poco de alegría. *(Se levanta.)* Y es tan sencillo... Yo marcaré seis cifras y tú
hablarás la primera. Y las dos le daremos las gracias
por el interés que se ha tomado por Juan. Su voz, a
veinte años de distancia, por unos minutos... y nada
más. ¿Quieres? (ANITA *se levanta trémula, mirándola
con los ojos muy abiertos.)* ¿O acaso prefieres hablar la
última? (ANITA, *muy agitada, deja de mirarla.)* No
puedo ocultarte nada. Reconozco que es lo que yo pre-
fería. Tú eliges. (ANITA, *que ha vuelto a mirarla, se
vuelve de nuevo.)* ¿Aún no es bastante? *(Un silencio.)*
Llegaré hasta el final. ¿Quieres hablar... tú sola? (ANI-
TA *se vuelve de repente a mirarla, con ojos que pare-
cen encerrar un gran anhelo.* ADELA *baja la cabeza.)*
Si eso es lo que quieres, lo tendrás. *(Va a la rinconera
y trae la guía a la mesa. Busca el número.)* Me limitaré a oírte. Y tú me contarás luego lo que ha dicho...,
si quieres. *(Encuentra el número y va al teléfono.)* Solamente te ruego... que le digas que estoy a tu lado.
(Marca, entre el tremendo nerviosismo de ANITA. *Se
miran. De pronto,* ANITA *le arrebata el aparato y escucha.* ADELA *le deja sitio junto al aparato. Larga
pausa.)* ¿Es que no contestas?... *(Aguza el oído.)* Creo
que oigo... Contesta... ¡Contesta!.., ¿No te está pregun-
tando? ¡Contesta! (ANITA *tapó el aparato con la ma-*

no. ADELA, *nerviosísima, intenta quitárselo.)* ¡Trae!
(Lo consigue, pero, cuando va a escuchar, ANITA *corta
la comunicación. Se miran.* ADELA *escucha y comprue-
ba que ha cesado, quitándole violentamente a su hermana la mano de la horquilla. Cuelga y se aparta,
sombría. Se vuelve. Estalla.)* ¿Qué persigues? *(Va de
nuevo al teléfono, pero* ANITA, *con una dura mirada,
se interpone.)* No me asustas. Lo haré yo sola en otro
momento. Y hablaré, hablaré con él... Tú puedes hun-
dirte en tu silencio. Me niego a considerarme respon-
sable de él. Desde ahora me reiré de tu mutismo... No
destruirás los años dichosos que me puedan quedar.
Pronto iremos Juanito y yo, solos, a visitar a Carlos.
Está raro estos días, pero no importa; a la noche lo
habré recobrado, cuando sepa lo que he hecho por su
padre. ¡Y no me mires así! Buscaré mi felicidad sin
reparar en nada, ¿lo oyes? ¡Todavía quiero vivir! *(Timbre lejano.* ADELA *se estremece y sale por el foro.* ANI-
TA *cierra los ojos y suspira hondamente. Acaricia, con
un desvaído ademán de sus dedos envejecidos, el teléfono y se encamina, cansada, a su cuarto. Entra, corre
la cortina y se oye el ruido de la puerta al cerrarse.
A poco, la melodía de la radio se interrumpe. Precedida
de* MAURO, *vuelve* ADELA.) ¿No has vuelto a hablar con
él?

MAURO.—Aún no.

ADELA. *(Con los ojos brillantes, envía una desafiante
mirada al chaflán.)* ¡Podías llamarlo desde aquí!

MAURO. *(Se sienta en el sofá.)*—No sería correcto. Ten
en cuenta que le hablé ayer mismo...

ADELA.—Ahora le podías preguntar lo que le dijo el presidente.

MAURO. *(Bosteza.)*—Pero si ya le dijo cuando le llamó
desde el café que haría todo lo posible...

ADELA.—Anoche no me lo dijiste.

MAURO. *(Después de un momento.)*—Se me pasaría.

ADELA.—Anda, llámalo.

MAURO. *(Calmoso.)*—No...

ADELA. *(Estalla.)*—¿A qué has venido entonces?

MAURO. *(Con una gran voz.)*—¡A dormir!

> *(Y se acomoda bruscamente, cerrando los ojos.*
> ADELA *se queda estupefacta.)*

ADELA.—¡Mauro, no te duermas. *(Lo sacude.)* ¡Llámalo!... ¡Mauro!

MAURO. *(Sin abrir los ojos.)*—No hay ya nadie a quien
llamar... Ya no hay llamadas para mí... Es el fin.

ADELA.—¿Qué estás diciendo? ¡Despierta!

MAURO.—Una completa egoísta...

ADELA.—¿De quién hablas?

MAURO. *(Eleva la voz de nuevo.)*—¡Déjame en paz!
¡Estoy harto de ti!...

> *(Busca una postura más cómoda.* ADELA *se apar-
> ta, herida, mirándolo con repulsión. Mira al
> teléfono, con ojos que vuelven a denunciar
> su exaltación. Se vuelve a su hermano y lo
> interpela de nuevo. Ahora, con voz grave.)*

ADELA.—Mauro...

> *(No hay respuesta. Entonces va a la guía y vuel-
> ve a buscar el número. Lo encuentra y, con
> furtivas miradas al chaflán y a su hermano,
> empieza a marcar.* JUAN *aparece, en silencio,
> por el foro, con su cartera bajo el brazo. Su
> expresión es hermética.* ADELA *espera, anhelan-
> te, que respondan a su llamada. Se vuelve
> para vigilar de nuevo, ve a* JUAN *y ahoga un
> grito, colgando de golpe.)*

JUAN. *(Entra y deja con suavidad su cartera sobre la
mesa.)*—¿A quién llamabas?

ADELA. *(Mientras baja con dificultad la mano del teléfono.)*—A... la Facultad. Como tardabas...

JUAN.—Aquí me tienes.

> *(Se miran,* ADELA *teme preguntar. Cierra la
> guía y la lleva a la rinconera. Cruza hacia la
> derecha, se detiene.* JUAN *no la pierde de vista.)*

ADELA.—No habrán calificado todavía, ¿verdad?

JUAN.—Tardarán días.
ADELA.—Pero ya se sabrá, claro...
JUAN.—Claro.
ADELA. (*Se vuelve a mirarlo, poco a poco, luchando con la idea que la invade.*)—¿Tú?
JUAN.—¿Te cuesta mucho trabajo creerlo?

> (*Un silencio.* ADELA *digiere la noticia. Intenta sonreir; está desconcertada.*)

ADELA.—Pues... Mi enhorabuena... En fin... No sé qué decir. (*Va a salir por la derecha.*)
JUAN. (*Frío.*)—¿Dónde vas?
ADELA.—Tengo que hacer...
JUAN. (*Se sienta.*)—Es curioso.
ADELA.—¿El qué?
JUAN.—Tu comportamiento.
ADELA.—¿Por qué?
JUAN.—Cada vez que aprobaba un ejercicio, me dabas un abrazo de felicitación. Y ahora...
ADELA. (*Le interrumpe.*)—¡Bobo! (*Y va hacia él.*)
JUAN. (*La detiene con un ademán.*)—Era un simple comentario.
ADELA.—No lo tomes así. Es que, después de haberlo esperado tanto, cuando llega se queda una vacía y sin nervios.
JUAN.—Efectivamente. Es como un gran vacío.
ADELA. (*Dispuesta a irse.*)—Ya reaccionaremos. ¿Quieres algo más?
JUAN.—Sí. (ADELA *lo considera, perpleja.*) Me dijiste anoche que hoy me demostrarías lo generosa que habías sabido ser conmigo. (ADELA *alza las cejas.*)
ADELA.—¡Ah! Te lo diré más tarde.
JUAN.—¿Por qué no ahora?
ADELA. (*Le pone las manos en los hombros y baja la voz.*) Mauro, Anita... Podrían escucharnos.
JUAN.—¿Qué importa? Son ya viejos testigos de todo lo nuestro.
ADELA. (*Que trata de irse.*)—Siempre hay una intimidad.

JUAN. *(La detiene por la mano.)*—A veces, no muy grata.

ADELA. *(Se desprende y se enfrenta con él.)*—¿Qué es esto? ¿La lucha de nuevo? No me gusta ese tono.

JUAN.—Escucha, Adela...

ADELA. *(Se encrespa.)*—¡Calla, es ridículo! ¿Tanto se te ha subido el éxito a la cabeza? *(Ríe.)* ¡Pero si no ha cambiado nada! Eres el mismo niño de siempre, que se ensoberbece porque algo le ha salido bien y piensa que ahora sí puede levantar el gallo... *(Sonríe.)* Te conozco, y por eso no te guardo rencor. Te lo diré, ya que tú mismo lo provocas. Tienes que saber de una vez que no has vencido por tu solo esfuerzo.

JUAN. *(Se levanta.)*—¿A qué te refieres?

ADELA. *(Risueña, va a su lado.)*—¿Pero tú crees que yo podía asistir impasible a tus dificultades? Todos mis nervios de estos días se debían a que no encontraba la manera de ayudarte... *(Le abraza suavemente.)* Y me daba tanta pena verte, a tu edad, empeñado en una empresa tan difícil... *(Mirándola muy fijo, él le baja lentamente los brazos.)* Ya sé que me reñirás, pero no importa. Lo importante es haberlo conseguido.

JUAN.—¿Qué has hecho?

ADELA. *(Se aparta.)*—Pues... busqué una recomendación.

JUAN. *(Frunce las cejas, asombrado.)*—¿De quién?

ADELA.—De Carlos Ferrer Díaz. *(JUAN respira fuerte. Un silencio.)* Lo hice por mediación de Mauro, que lo ve en el café con frecuencia, y como cosa suya. Anoche mismo te recomendó Carlos. Yo ni siquiera lo he visto. Sé mantenerme en mi lugar.

JUAN.—Esa era tu ayuda.

ADELA. *(Cruza hacia el balcón.)*—No creo que te puedas quejar de las consecuencias.

JUAN.—Reconozco que has logrado sorprenderme. Venía con la mente muy clara, pero no esperaba eso. *(Va, rápido, al lado de MAURO. Ella se vuelve a mirarlos.)* Mauro... ¡Mauro! *(Lo sacude.)*

MAURO.—Basta, no seas bruto... Hace tiempo que me habéis despertado. *(Se incorpora bostezando.)* ¿Qué

me miras? Adela te ha dicho la verdad. A los dos
nos pareció que convenía echarte una mano.

> (*Rehuye su mirada, busca su cartera y saca
> papeles donde empieza a tomar notas.* JUAN
> *mira a su mujer que, con una levísima son-
> risa, se sienta junto a la mesa.*)

ADELA.—Espero que algún día llegarás a darme las gracias. Comprendo que ahora estás ofuscado... Pero ya
pasará, y te humanizarás. Entonces ya no te impor-
tará reconocer que me lo debes a mí.

JUAN.—¿El qué?

ADELA.—El haber ganado.

JUAN. (*Tranquilo, después de un momento.*)—¿Cuándo
he dicho yo que he ganado?

> (ADELA *se levanta, sorprendida, y lo mira*)

MAURO. (*Levanta la cabeza.*)—¿Cómo?

ADELA.—Has dicho que...

JUAN.—No lo he dicho. Pero reconozco que te he querido engañar. (*Va hacia la mesa.*) Ha sido por mi
parte la última tentación. La última carta tapada, y
ya no habrá más. Era una prueba: quería ver tu cara.
Y no lo pudiste remediar..., se te nubló. Como se te
ha alegrado ahora, al saber que no era cierto..., que
he perdido. (*Una pausa.*) ¿Por qué me recomendaste?

ADELA. (*Le vuelve la espalda.*)—Piensa lo que quieras.

JUAN.—Te asustaba que, a pesar de todo, pudiese ganar, ¿no?

ADELA. (*Se vuelve.*)—¡Me estás insultando!

JUAN. (*Se acerca.*)—Te asustaba. Un marido que al fin
demuestra su mérito... Intolerable idea, cuando se ha
tratado, ¡durante la vida entera!, de convencerle de
lo contrario, de dominarlo.

ADELA.—¿Estás loco?

JUAN.—Con la recomendación todo se arreglaba. Gana-
ba: no era por mis méritos. Perdía a pesar de ella:
tendría que reconocer mi absoluta mediocridad.

ADELA. (*Cruza.*)—¡Pues bien, ya que has perdido, re-

conócelo! Si es verdad que no vales, si he estado tra-
tando de animar inútilmente durante años a un fracasado, hasta que he tenido que recordar eso, que no
valías... ¡No tienes derecho a reprocharme que te bus-
case una recomendación! ¡Cuando no se vale para
nada hay que ser más humilde! Y aceptar las ayudas
de donde puedan venir.

(Se sienta en la poltrona.)

JUAN.—De Ferrer Díaz.

(Ella lo mira duramente.)

MAURO.—Quizá sea mejor que yo me vaya. Tengo que
hacer, y... *(Ademán de levantarse.)*.

JUAN.—¡Espera! Este asunto es de todos y a todos nos
conviene aclararlo. *(Se acerca a su mujer.)* De una u
otra manera, Ferrer Díaz ha estado siempre pre-
sente en esta casa. Sin nombrarlo apenas; pero con
una presencia formidable, que... a veces... llegaba a
darme la sensación de que este hogar no era mío, ¡sino
suyo!

ADELA.—¿Qué quieres decir?

JUAN. *(Llega a su lado, iracundo.)*—¿Y te atreves a
preguntarlo? *(Se miran por un momento.* MAURO *se
levanta despacio y se aleja hacia la mesa. Ella baja
los ojos. Más calmado:)* No pienses que me limitaré a
destapar tus cartas. También yo he de enseñar las
mías. Peor para nosotros si, al volverlas, enrojecemos
de vergüenza. *(Se aparta, suspirando.)* Le he envi-
diado toda mi vida... Le envidio aún. No he sabido
sobreponerme a ese sentimiento destructor... No se me
ayudaba nada en mi propia casa para conseguirlo,
pero eso cuenta poco ahora. Yo era inteligente, pero
la obsesión de sus éxitos me ha anulado. Y el pago
es el fracaso.

ADELA. *(Que se levantó durante estas palabras con sú-
bita inquietud.)* ¿No se ha oído la puerta?

JUAN. *(Se vuelve.)*—¿Eh? *(La mira y va al foro. Ella
lo sigue. El sale al pasillo y mira un segundo hacia*

la izquierda. Vuelve.) No era nadie. Tus nervios te han engañado porque sabes bien que... ese que tiene que venir..., nos juzgará a los dos un día. Pero esa hora aún no ha llegado. (ADELA *da unos pasos, escuchando, asustada.)* ¿Qué te pasa? ¡Te digo que has oído mal! *(La cortina del chaflán se levanta y entra* ANITA, *que los mira con los ojos desorbitados.)* Ah... Era Anita. Algo habías oído, en efecto. *(Se dirige a* ANITA *y la toma de una mano.)* ¿Y tú, Anita, escuchabas? (ANITA *mira a su hermana, se desprende y va a sentarse a la mesa.)* Sí. Tú lo escuchas todo sin decir nada... Pero tus ojos hablan con claridad terrible... Frente a ellos, es más difícil mentir. Bien venida seas.

> (MAURO *se sienta y acaricia una mano de* ANITA.)

ADELA. *(Angustiada, a* ANITA.)—¿A qué has venido?

> *(Los ojos de* ANITA *se clavan en ella.)*

JUAN.—Déjala. Es como un tribunal para todos. Y para ti, más que para nadie.

ADELA.—¿Qué... quieres decir?

JUAN.—¿Qué quiero decir? *(Se acerca a* ANITA.) Anita, ¿qué te ha hecho? ¡Algo terrible debió de ser cuando estás así!

ADELA. *(Muy agitada.)*—¿Qué dices?

JUAN.—¡Que entre vosotras pasa algo! ¡Y que la culpable tienes que ser tú! ¡Tú, que hieres a todos de muerte con tus torpezas! *(Se vuelve a* ANITA, *que lo mira, rígida.)* ¿Qué fué Anita? ¡Habla! ¡El momento es éste! ¡Todos necesitamos claridad, y ella más que nadie!...

> *(Unos segundos de silencio. Todos miran a* ANITA, *que, con los ojos muy abiertos, mira a su hermana.)*

ADELA. *(Que no resiste, sin dejar de mirar a* ANITA.) —¡No!...

> (ANITA *desvía la vista lentamente.* ADELA *se desploma sobre la poltrona. Una pausa.)*

JUAN. *(Se acerca.)*—Guarda tu secreto, Adela. Ese no
puedo yo revelarlo, puesto que lo ignoro. Quizá ha sido
tu mayor error: que tu marido supiera tan pocas cosas de ti mientras que tú de él lo sabías todo. Pero, al
menos, sí sé una cosa. Una cosa tremenda de la que
nunca hemos hablado y de la que quizá proviene todo.
Y esa sí hay que aclararla.

ADELA. *(Turbada, mira a su hermana, que a su vez mira
a JUAN con interés.)*—¿Qué... dices?

JUAN.—Te casaste conmigo sin quererme. (ADELA *baja
la cabeza.)* Me he preguntado muchas veces por qué.
Una cobardía, ya que, en el fondo, siempre lo supe.
Era demasiado clara tu intención de utilizarme como
un simple elemento de revancha.

ADELA.—¿De revancha?

JUAN.—O de despecho. Quisiste demostrar a... otra persona que, con tu ayuda, un hombre podía llegar le-
jos... Me animaste a luchar sólo para eso. Y, porque
no pudiste demostrarlo, has terminado por odiarme.

ADELA.—¡No es verdad!

JUAN. *(Se acerca y la mira a los ojos.)*—Has llegado a
desear mi muerte.

ADELA.—¡Pero, Juan!...

JUAN.—Me di cuenta en aquella ocasión en que estuve
tan enfermo... *(Pasea, suspirando.)* Tus suspiros de
impaciencia, tus frías palabras de alivio, tu melancolía,
tus distracciones, tu resistencia al papel forzoso de
enfermera... Yo te estorbaba. Al lado mismo de mi
cama te crecía dentro un sueño espantoso... de felicidad. *(Ella lo mira, angustiada. El, fuerte:)* ¡Atrévete
a negarlo!

ADELA.—Te equivocas. Yo...

JUAN. *(Exasperado.)*—¿Es que quieres que vuelva a pro-
nunciar el nombre de esa otra persona? *(Ella se inmuta.)* El nombre de aquél en quien no habías dejado
de soñar; de aquel en quien tal vez soñaste incluso
cuando concebiste a nuestro hijo.

ADELA. *(Horrorizada.)*—¡Juan!...

JUAN.—También por ti he perdido a mi hijo *(Pasea.)*

Has sabido enseñarle a despreciarme. Pero, ¿qué has
ganado? Una vida ficticia, llena de mentira; un hogar que era también mentira; dolor y desengaño para
tu vejez... *(Se sienta, cansado, en el sofá.)* ¡Ah!... No
sé cómo puedes perdonarte a ti misma tanta locura...
(Una pausa.)

ADELA. *(Entristecida.)* — ¡Qué podía hacer! ¿Qué puede
hacer nadie? Nunca logré ver claro en mis impulsos,
en mis deseos... Todo lo hice a destiempo. De todo me
di cuenta tarde....

JUAN. — Los dos nos hemos equivocado, mujer. Nuestros
propios afanes nos destruyeron...

MAURO. *(Grave.)* — Todos nos equivocamos... Es fatal...

(Se levanta y va al balcón, turbado.)

ADELA. — ¿Y ésta es la vida?

JUAN. — Al menos, la nuestra. *(Los considera a todos.)*
Somos cosa vieja. Error, de la cabeza a los pies. Sin
arreglo ya..., salvo el de verlo lo más claro posible. Esto no es ya la lucha, Adela: Yo lo he visto esta tarde,
después de mi fracaso, y trato simplemente de que lo
veas tú también.

(Se levanta y se acerca.)

ADELA. — ¡Para qué!...

JUAN. — No para nosotros, desde luego. Pero si hemos
llegado a comprender que... estamos demasiado mal
hechos, es claro que ya de poco podemos valerle.

ADELA. *(Sobresaltada.)* — ¿Valerle? ¿A quién?

JUAN. *(Sereno.)* — A nuestro hijo. (ADELA *se levanta
lentamente, alarmada.* ANITA *también.)* Un día com-
prenderá, y para un muchacho puede ser fatal la vida
junto a unos padres que le hayan defraudado... Es el
mundo quien debe, ahora, educarlo y salvarlo.

ADELA. — ¡No!

(ANITA deniega y cruza las manos en súplica.)

JUAN. — ¡Sí, Adela! El ha visto más claro que nosotros.
Quiere irse, y tiene razón.

ADELA.—¡El mundo le envenenará también!

JUAN.—No más que nuestro ejemplo. Hay que correr ese riesgo.

ADELA.—¡No me lo quites! ¡Es lo único que tengo! *(ANITA llega, denegando, con las manos juntas, al lado de JUAN. MAURO se acerca.)* ¡Anita, nos lo quiere quitar!

JUAN. *(Tomándole una mano.)* —¡Adela, reflexiona!

> *(ANITA le toma del brazo, muy afectada, denegando. ADELA trata de desprender su mano.)*

ADELA.—¡No!...

JUAN.—¡Basta! *(Y abraza, conmovido, a ANITA, sin soltar a ADELA.)* ¿Creéis que a mí no me duele en el alma? *(ANITA rompe a llorar en sus brazos.)* No llores, Anita. Tú sabes que es necesario. *(Atrae a ADELA con alguna brusquedad.)* Y tú también lo sabes.

> *(Los esposos se miran fijamente.)*

MAURO. *(Se acerca a ANITA y la desprende con suavidad.)* —Vamos, Anita, vamos...

> *(La conduce a la mesa y la sienta.)*

ADELA. *(Desprende su mano con violencia, permaneciendo a su lado.)* —¡Suéltame! Todas tus palabras sólo ocultan un deseo: ¡quitármelo! ¡Es tu venganza! ¡Poco trabajo te cuesta a ti dejarle que se vaya! ¡Sabes que no te quiere! *(Airada.)* ¡Pero yo sí lo tengo! ¡Es mío, y me quiere, y yo a él!

JUAN.—¿Pero no quieres comprender todavía?

ADELA.—¡No! ¡Nunca! ¿Lo oyes? ¡Nunca! ¡No me lo quitarás tan fácilmente!

JUAN. *(Amargo.)* —Insensata...

> *(Breve pausa. Entonces aparece en el foro, muy pálido y sin mirar a nadie, JUANITO. Sus padres le miran y se miran, inquietos. Hay una pausa embarazosa. ANITA, que volvió la cabeza, se levanta y corre a abrazar a JUANITO.)*

MAURO.—Anita, por Dios...

> (JUANITO *mira a todos con embarazo.* ANITA *se*
> *desprende, rápida, y va a su cuarto, tras cuya*
> *cortina desaparece.*)

JUAN. *(Cruza.)*—No es nada, hijo mío. Hablábamos de
ti precisamente, y se ha afectado un poco; pero no
tiene importancia. ¿Nos... has oído?

JUANITO. *(Después de un momento, sin mirar a nadie,*
miente.) Acabo de llegar.

ADELA. *(Que no lo cree, da un paso hacia él.)*—¡Hijo!...

JUANITO. *(La mira un momento con tristeza. Luego, a*
su padre.)—Siento de veras el resultado de la oposición, padre. *(Todos se miran un momento, turbados.*
El se desconcierta también.) No te extrañe... que lo
sepa... Pasé por la Facultad esta tarde.

> *(Su madre se vuelve de cara al proscenio, ín-*
> *timamente defraudada porque no le ha con-*
> *testado a ella.)*

JUAN.—Gracias, hijo. No tiene importancia. Lo que importa ahora es tu porvenir... *(Mira a* ADELA.) Después de pensarlo bien, tu madre y yo hemos decidido
que... tú tenías razón. Que está muy indicado ese
viaje que querías hacer y que debes pedir la beca.
¿Verdad, Adela?

> *(Un silencio.* JUANITO, *que ha recibido la no-*
> *ticia sin la menor sorpresa, mira a su madre.*
> *Ella lo mira también y comprende que no*
> *puede contestar más que una cosa.)*

ADELA. *(Con un hilo de voz, mientras se vuelve.)*—Sí.

JUANITO.—Os doy las gracias.

ADELA. *(Con un ademán.)*—Hijo...

JUANITO. *(Después de mirarla.)*—Sobre todo a ti, padre.
(Herida, ADELA *cruza lentamente hacia el balcón.*
JUANITO *da un paso hacia él.)* Y también quisiera
que me disculparas. Yo... no he sabido quizá entender-
te...

> *(*MAURO *va a sentarse al sofá.*)

JUAN.—No te preocupes.

JUANITO.—¡Sí, sí! Es que tú no sabes... *(Se aparta.)* He llegado a pensar cosas... terribles.

> *(JUAN llega a su lado y le toma con afecto de un brazo.)*

JUAN.—Lo sé. Has llegado a pensar que hubieras preferido en mi lugar a otra persona.

JUANITO.—Padre, yo....

JUAN.—¡Calla! Si es natural. *(Mira a ADELA.)* Era natural... Y no estabas del todo desprovisto de razón.

JUANITO.—¡No, no! *(Se recuesta en la poltrona, disgustado.)*

JUAN. *(Sencillo.)*—Sí. Ferrer Díaz vale mucho más que yo. *(Se separa, con triste sonrisa, y pasea.)* Mi gran error ha sido no atreverme a reconocerlo, mientras... lo envidiaba en secreto. *(Mira a su hijo.)* Pero ya no me importa reconocerlo. La experiencia de hoy ha sido suficiente... *(Sonríe.)* Tu pobre padre ha hecho el ridículo. El Tribunal sofocaba las risas... Y los otros opositores... «¿Cómo? ¿No conoce usted las aportaciones de Ferrer Díaz a ese problema? ¡Es notable!...» Pero habrá usted leído sus últimos libros, ¿no?... De todas formas es muy respetable que los opositores se permitan ideas propias..., aunque quizá no lo bastante meditadas.» *(Conmovido.)* Ya ves. Con lo sencillo que hubiera sido, desde hace años, admirar y leer como se merece a Carlitos Ferrer..., mi antiguo compañero. *(Se sienta a la mesa.)*

JUANITO. *(Sin poder evitar una rápida y furtiva mirada a su madre, que se estremece al oírle.)*—Quizá tú no has tenido la culpa...

JUAN.—¡Chist! No hablemos de culpas. Todos somos muy inocentes y muy culpables. Y yo un tonto, a quien le ha dado vergüenza que le viesen consultar en la Biblioteca los libros de Ferrer. Un solemne tonto, que bien pudo pedírtelos modestamente a ti... después que los que yo había comprado desaparecieron. *(MAURO se revuelve, inquieto, ante su mirada.)* ¡No te apures,

Mauro! Al fin y al cabo, te estoy agradecido. (*A* JUA-
NITO.) Es risible, hijo mío. El Tribunal me ha eliminado por no haber estudiado a Ferrer, cuando precisamente por los buenos oficios de tu tío..., el propio
Ferrer me recomendó anoche. Qué ironía, ¿verdad?

JUANITO. (*Extrañado.*)—¿Que Ferrer Díaz te recomendó noche?

      (ADELA *se vuelve lentamente, intrigada.*)

JUAN.—Así parece... (*A* MAURO.) ¿No, Mauro?

MAURO. (*Carraspea y contesta de mala gana, disimu-
lando con sus papeles.*)—Sí, a eso de las once... Llamó
desde el café en mi presencia.

JUANITO. (*Se levanta.*)—Pero.. ¡si eso no puede ser!

ADELA.—¿Qué estás diciendo? (*Avanza.*) ¡Explícate!

      (JUAN *se levanta.*)

JUANITO. (*Después de mirar a todos.*)—Lo siento, tío,
pero no puedo dejar a mi padre con esa falsa idea.
(*A su padre.*) Ayer estuvimos unos cuantos estudiantes con Ferrer hasta dejarle en el taxi que le conducía
a la estación. (*Cruza hacia el foro.*) Se marchaba en
el tren de las nueve y media para el norte, a dar unas
conferencias.

      (*Una pausa. Todos miran a* MAURO, *que los mira
      con una media sonrisa que no le sale, y baja
      la cabeza, mientras se toca rítmicamente las
      puntas de los dedos de una mano con los
      de la otra.*)

ADELA. (*Yendo hacia él.*)—¿Qué significa esto?

MAURO. (*La mira y baja la cabeza.*)—Siempre me ocurre lo mismo. Mi juego es corto y miento mal... Lo
necesario sólo para ir resolviendo el problema de cada día. A cada cual le digo lo que le gusta, y así voy
tirando, Pero luego, todo se descubre.

ADELA. (*Colérica.*)—¿Merecían eso todas las considera-
ciones que has tenido en esta casa?

MAURO.—¿Estás segura de que las habría tenido si no

hubieses oído las mentiras que querías oír?... *(Baja
la cabeza.)* Yo no lo estaba.
ADELA.—Eres repugnante.

> *(Se aparta hacia el primer término de la de-
> recha.)*

MAURO. *(Se levanta cansadamente.)*—Yo no diría eso,
Adela... Me miro por dentro y no encuentro mi repug-
nancia siquiera, porque estoy vacío. He sido para ti
lo que para todos: un espejo que te devolvía tu re-
flejo.
ADELA. *(Se vuelve, airada.)*—¡No te tolero...!
JUAN. *(Da un paso.)*—¡Adela!
MAURO.—Déjala. Es natural... *(ADELA se desploma sobre
la poltrona.)* Y tú, discúlpame. Bien... *(Vuelve al sofá para recoger su cartera.)* Supongo que ya no podré volver.
JUAN.—Por mí, sí.
MAURO.—Pero por Adela, no. La conozco bien.
JUANITO. *(Que miraba a su madre con ojos espantados,
a su padre.)*—Si tú quieres, padre..., me quedo. Por
ti, por Anita... *(Su madre escucha, anhelante.);* por
todos.
JUAN.—No, hijo. Tú te irás. *(Suspira largamente.)* Bueno... Voy un momento a mi despacho... *(Recoge la cartera de la mesa.)* Y a dar luego una vuelta para des-
pejarme.
JUANITO.—Si me esperas, salgo contigo, padre.

> *(ADELA, sin volverse, cierra los puños.)*

JUAN.—Está bien. En el despacho estoy. *(Se encamina,
lento, hacia el foro. Se detiene en el umbral y se aga-
cha para recoger algo. Con ello en la mano, mira hacia arriba.)* Otro pedacito de la cornisa... Habrá que
llamar a los albañiles... algún día.

> *(Sale or la derecha del foro. JUANITO mira a
> su madre, que, sin mirarlo, espera. Tal vez
> ella piense que se queda para decirle algo.
> Pero JUANITO pasa a su lado y, sin recoger la*

mirada de súplica que ella le dirige, sale por
la derecha. La fisonomía de ADELA *se apaga.*
Recostado en un brazo del sofá y con ojos de
sueño, MAURO *arregla su cartera para irse.)*

ADELA.—Esto no te lo perdonaré nunca.

MAURO.—¿Eh?

ADELA. *(Se vuelve.)*—¿Qué esperas? ¡Vete!

    (Y se levanta para cruzar, colérica.)

MAURO. *(Sonríe.)*—Vamos, hermanita. Al menos, un poco
de cortesía...

ADELA.—¡Canalla!

MAURO. *(Se incorpora y se acerca.)*—¿Ves? El odio te
llena la boca. Es lo de siempre... Nos falta abnegación,
y eso se paga. Porque hay algo dentro de nosotros que
no nos deja muy tranquilos cuando pisoteamos a los
demás. Y entonces sólo queda padecer... o endurecer-
se. Y tú no puedes endurecerte; te sobran nervios para eso.

    (Un par de gorjeos aislados. ADELA *vuelve la*
    cabeza para escucharlos.)

ADELA.—Algo más queda que tú no puedes tener: la
seguridad de que la vida es una cosa espléndida y be-
lla, aunque la nuestra se haya manchado... *(Se acerca al balcón.)*

MAURO. *(Ríe.)*—La cabeza a pájaros.

ADELA.—¿Qué dices?

MAURO.—Claro. Esa frasecita literaria te la acaban de
inspirar los gorjeos de esos animalitos.

ADELA.—Y aunque así fuese, ¿qué?

MAURO.—También en eso te equivocas. Hace tiempo ojeé
un librito muy curioso... Te gustaría leerlo. Decía que
los pájaros cantan llenos de alegría por la mañana
porque el sol sale y les espera una jornada que su-
ponen llena de aventuras deliciosas... Son como nosotros en la mañana de nuestra vida: unos aturdidos.
Pero por la tarde no cantan.

ADELA.—¿No los oyes?

MAURO.—Esos no son cantos: son gritos.

ADELA.—¿Qué dices?

MAURO.—Gritan de terror. (*Está a su lado.*) Todo eso
que a ti te parecía un delirio de felicidad, es un delirio de miedo... Al cabo del día han tenido tiempo
de recordar que están bajo la dura ley del miedo y de
la muerte. Y el sol se va, y dudan de que vuelva. Y
entonces se buscan, y giran enloquecidos, y tratan
de aturdirse... Pero ya no lo consiguen. Quieren cantar, y son gritos los que les salen.

ADELA.—¡Eso no puede ser cierto!

MAURO. (*Vuelve al sofá para tomar su cartera.*)—Di
mejor que no lo sabemos. Sabemos muy poco de ellos
y de nosotros mismos. Pero lo ha escrito alguien que
los observó mucho...

ADELA.—Y tú, que hablas de abnegación, ¿me explicas
eso?

MAURO. (*Duro.*)—¿Y quién te dice que yo tengo abnegación? (ADELA *lo mira, asustada, y vuelve los ojos al
balcón, tras el que menudean los gorjeos —gritos ahora para ella— de los pájaros.* MAURO *se encamina al
foro. Se vuelve desde allí.*) También tú tienes miedo,
como ellos, a la garduña o al milano... ¿Cuál es tu
milano? (*Una pausa.*) ¿Anita? (ADELA *se vuelve a
mirarle, asustada.*) ¿O sólo tu conciencia? (*Pausa.*)
¿O acaso..., acaso..., tu conciencia y Anita son la misma cosa? (*Pausa.*) Adiós, Adela.

> (*Sale por el foro izquierda.* ADELA *mira al cha-
> flán, angustiada. Se siente débil; se sienta en
> una silla, mirando ahora, con ojos asustados,
> a los pájaros del exterior.* JUANITO *entra por
> la derecha y la mira. Va a pasar de largo.
> Ella lo mira, suplicante, y emite un leve ge-
> mido ahogado.* JUANITO *se detiene y se acerca
> despacio. Tras ella, habla. A poco,* ANITA *apa-
> rece en el chaflán y recostada en él, escucha
> con aire desolado.*)

JUANITO.—No sufras, madre. Yo volveré.

ADELA.—Sí, hijo mío...

JUANITO. *(Le pone las manos en los hombros y señala al balcón con la cabeza.)* —Escucha cómo cantan. Cada vez que los oigas te acordarás de mí. Quizá un día podamos todos los de esta casa conocer también esa alegría... Yo volveré para intentarlo.

ADELA. *(Después de un momento.)* —Sí, hijo mío. *(JUANITO se incorpora y sale por el foro derecha. ADELA mira a su hermana.)* Todo era mentira. Hace tiempo que Carlos nos ha olvidado. Lo hemos perdido dos veces, porque ahora volvemos a perderlo en Juanito..., que empezará a olvidarnos también. *(Una pausa.)* Estoy frustrada.

> *(Por el foro cruzan JUAN y su hijo, que se detienen a mirarlas.)*

JUAN. —Adiós...

> *(Las dos hermanas se vuelven a mirarlos.)*

JUANITO. —Adiós.

ADELA. —Adiós... *(Salen padre e hijo por la izquierda del foro. ANITA cierra los ojos, dolorida. Después va a sentarse a la mesa, frente a su libro, que mira distraídamente.)* Es como si se hubiese ido para siempre. Volverá esta noche, pero será lo mismo: yo ya estaré sola. Sola, contigo, definitivamente. *(ANITA la mira con ojos sombríos. Ella se levanta.)* Algo terrible te hice, es cierto. Y lo más espantoso es que entonces no parecía tan grave. Si yo hubiese sabido que te podía afectar tanto... Si hubiese sabido lo caras que pueden costar todas nuestras ligerezas... Yo pediría perdón a nuestros padres, pero ya han muerto... *(Suspira, mirando a los retratos. ANITA, con la mirada en el vacío, recuerda.)* También nosotras estamos muertas. Muertas ya para lo que no sea el horror de mirarnos frente a frente... Mauro tiene razón. Lo sabes todo de mí y eres como un milano que me tiene entre sus garras. *(Se vuelve hacia su hermana. Se acerca. Se le quiebra la voz.)* Mírame, hermana: ahora ya no soy más que una niña temerosa y cansada. Ya no sé nada, no

estoy segura de nada y es tarde para aprender...
(Se arrodilla, llorando, de bruces sobre el regazo de
ANITA, *que la mira angustiada.)* Nuestros padres ya
no me pueden perdonar, pero tú sí... Házlo tú por ellos
y podré aún reconciliarme conmigo misma... Tú y yo
juntas formamos una gran llaga, y sólo tú puedes cu-
rarla... Acógeme de nuevo en tus brazos, como cuando
era pequeña, y dime: «Cálmate, hija mía... Todos su-
frimos por nuestros deseos, y la culpa nunca es clara...
No has sido más que una niña mimosa e inconscien-
te... Pero ya pasó todo... Descansa.» *(Conteniendo sus*
lágrimas, ANITA *se levanta y se aparta, turbada, ha-*
cia el centro de la escena. ADELA *se vuelve hacia ella*
con el ademán implorante.) ¡Anita!... Mi hijo se va
por culpa mía, lo sé. ¡Pero yo soy la más torpe de
las dos! ¡También eso tienes que perdonármelo! *(Las*
facciones de ANITA *se han endurecido a la mención*
de JUANITO. *Retrocede un paso y, desviando los ojos,*
deniega lenta y melancólicamente. Después se enca-
mina al chaflán. ADELA *se levanta y da unos pasos*
tras ella, angustiada.) ¡Hermana! *(*ANITA *se vuelve*
desde el chaflán.) ¿Todavía no me has castigado bastante? ¿Es que va a ser así toda la vida? *(*ANITA
desaparece tras la cortina. ADELA *llega junto a ella.*
En un alarido.) ¡Anita! ¿Me entiendes siquiera?

> *(Una pausa.* ADELA *retrocede unos pasos, con*
> *los ojos muy abiertos, fijos en la cortina.*
> *Luego se vuelve lentamente y mira al balcón,*
> *espantada. Al fin, humilla la cabeza bajo el*
> *peso de un horror sin nombre. La algarabía*
> *de los pájaros ha llegado a su mayor estri-*
> *dencia y parece invadir la casa entera.)*

TELON LENTO